Книги Екатерины Вильмонт:

Екатерина Вильмонт

Свои погремушки

Издательство АСТ
Москва

УДК 821.161.1-31
ББК 84(2Рос=Рус)6-44
В46

Вильмонт Екатерина Николаевна.

В46 Свои погремушки / Екатерина Вильмонт. —
Москва: Издательство АСТ, 2019. — 320 с.

ISBN 978-5-17-116219-1 (С.: Романы Екатерины Вильмонт)
В оформлении используется картина
Пьер Огюст Ренуар «Les Parapluies»
Дизайнер — Екатерина Ферез

ISBN 978-5-17-116217-7 (С.: Бестселлеры Екатерины Вильмонт)
Дизайнер — Иван Кузнецов
Фото автора — Светлана Стуканёва

Вот уж воистину — в каждой избушке свои погремушки!
И эти погремушки разрушили избушку Златы до основания.
Но есть два человека, готовых протянуть ей руку помощи. Что
возьмет верх — разум или чувство?

УДК 821.161.1-31
ББК 84(2Рос=Рус)6-44

Книга первая

НЕ ОРЛЫ

В каждой избушке свои погремушки

«Хороший ты мужик, Андрей Его-
рыч, но не орел!»

Из старого фильма «Простая история»

Дождь лил как из ведра! Егор замер в растерянности. До машины было метров сто, а зонт
остался в багажнике. Можно, конечно, добежать,
но что за вид у него будет? А появляться там,
куда он спешит, мокрой курицей не годится. Да
хоть мокрым петухом — тоже не дело. А время
поджимает. Дождь не ослабевал. Засада! Он
увидел, что по ступенькам взбегает женщина под
большим голубым зонтом с розовыми цветами.
Один рукав ее костюма все равно был мокрым.
Женщина, заскочив под козырек здания, стрях-
нула воду с зонта и вдруг протянула его Егору.

— Возьмите!

— Спасибо огромное! — обрадовался Егор. —
Но как же вы?

— Надеюсь, когда я буду уходить, дождь
кончится, — ослепительно улыбнулась женщина.

— Дайте ваш телефон, я верну!

— Да не нужен он мне! Я его терпеть не могу, такой безвкусный! А дома у меня еще пять зонтов! Берите, берите! Я же вижу, вы нервничаете, спешите, наверное. В такую дождину никто вас не осудит за эти цветочки!

Она сунула зонт ему в руки и вбежала в здание. Раздумывать было некогда. Егор побежал к машине под стопроцентно дамским зонтиком, но едва он плюхнулся на сиденье, как дождь внезапно прекратился.

Черт знает что! И куда мне теперь девать эту красоту? Он бросил сложенный зонт назад, на пол, с него текло. Но зато с меня не течет. Идиот, сказал он самому себе, заметив на переднем сиденье свой собственный зонт, черный, очень большой, истинно мужской, купленный когда-то в Милане примерно в такую же погоду. И он поехал на переговоры, совершенно забыв о безвкусном дамском зонтике.

А вечером он поехал к маме.

— Егорушка! — обрадовалась Мария Андреевна. — Как твои дела? Выглядишь не очень... Ужинать будешь?

— Буду, мамочка! Я привез картошку, молоко, минералку, чтоб тебе не таскать.

— Спасибо, милый, иди мой руки!

Он покорно пошел мыть руки. Он любил, когда мама обращалась с ним как с ребенком. Его это ничуть не раздражало, а, напротив, умиляло.

— Ну, что у тебя нового? — спросила мама.

— Да ничего особенного, кручусь...

— Ну все же не так крутишься, как когда был следователем.

— Да не сказал бы, просто адвокатам лучше платят, — улыбнулся Егор.

— А когда ты, наконец, женишься?

— Не собираюсь пока. С меня одной женитьбы хватило. Сыт по горло.

— Ну не все же женщины такие, как твоя Зоя.

— Да нормальная она была, просто быть женой следователя дело нелегкое.

— Но вот твой отец тоже был следователем...

— Мама, сравнила тоже! Отец был важняком в Генпрокуратуре, а я просто следаком на земле.

— Но начинал-то твой отец тоже простым следаком.

— Значит, ты его сильно любила. Да и вообще, не равняй Зойку с собой. Смешно просто...

Мама погладила Егора по голове, поцеловала в макушку.

— Короче, мама, оставим эту тему. Пока что мне не встретилась достойная кандидатка.

— А как же Танечка? Такая милая девушка...

— Да, довольно милая. Но не настолько милая, чтобы на ней жениться.

— Какой ты циник, Егорка!

— В наше время без здорового цинизма не проживешь.

— А я хочу внуков!

— Знаешь, мамуля, я мог бы, конечно, состро갑ать тебе внучка́, но все-таки мне для этого как минимум нужно хорошее полено и художественные способности папы Карло. И потом кроме таланта папы Карло я должен обладать еще талантом Пигмалиона...

— Господи, сын, что ты плетешь, — поморщилась мама. — Просто уши вянут... Между прочим, тут ты пошел в отца. Он тоже, когда хотел от меня отвязаться, придумывал черт-те какую чепуху, валил в одну кучу Раскольникова и Чацкого, или Хемингуэя и Тарапуньку со Штепселем... Тот еще был балабол! И ты такой же.

— Но ведь тебе, мамуля, наверняка приятно обнаруживать в сыне черты горячо любимого мужа?

— Приятно, не скрою, но...

— Все, мамуля, спасибо за ужин, я побежал!

— Погоди, торопыга, вот, возьми, я тут все приготовила, хоть два дня нормально поешь, а то знаю я тебя — в лучшем случае закажешь на дом пиццу.

— Ты отстала от жизни, мамочка, сейчас можно на дом заказать абсолютно все, что угодно.

— Но это ж, наверное, очень дорого...

— Не очень. И потом, я этим нечасто пользуюсь.

— А Танечка тебе не готовит?

— Танечка? Один раз она решила сварить мне свежие щи... Страшно вспомнить, напихала туда кинзы и чеснока.

— Какой кошмар! — искренне ужаснулась Мария Андреевна.

— И к тому же назвала эти щи зелеными.

— Но позволь, зеленые щи это щавель... Ну или, на худой конец, крапива!

— То-то и оно! Я пытался ее вразумить, а она обиделась и заявила, что больше не станет мне готовить.

— А ты что?

— Я сказал — слава богу...

— Егорка, ты хам!

— Да ладно, мамочка!

— Она всерьез обиделась?

— Обиделась — и слава богу!

— То есть ты с ней порвал?

— Это она со мной вроде как порвала. А я обрадовался.

— У тебя есть другая?

— Пока нет. И хорошо. Никто не достает, по крайней мере. Все, мамуля, я побежал. Спасибо за провиант! Если что-то нужно, звони!

— Посмотрим!

Как мне повезло с мамой! Она такой прелестный легкий человек... Я всегда с удовольствием езжу к ней.

Мамину сумку с провиантом он поставил на пол машины, и тут увидел голубой зонтик. Надо же... До чего же милая женщина... Понимающая. И замужняя. Егор успел заметить обручальное кольцо. А мне-то что? Он пощупал зонт. Он высох. Егор взял его и сунул в багажник. А сколько ей лет? Лет тридцать... Глаза красивые, веселые... А больше он ничего не успел заметить. Ах да, еще улыбка... обаятельная. Да бог с ней, скорее всего я никогда ее больше не увижу. Это только в романах подобные встречи имеют продолжение…

Когда Злата вышла на улицу, дождь и в самом деле давно кончился. Она подошла к машине и села за руль. Позвонила мужу.

— Дэн, все в порядке. Я обо всем договорилась.

— Умница моя! Я был уверен, у тебя все получится! Они очень упирались?

— Упирались, конечно, но я сумела их уболтать. Устала страшно! Сейчас еду еще по одному делу, а потом уж домой. Скажи, а Анна Захаровна не оставила список?

— Какой список?

— Ну, что надо купить?

— Не знаю, я весь день работал…

— Будь добр, посмотри на кухонном столе.

— Сейчас. Ага, есть. Тебе зачитать?

— Зачем? Сними на телефон и перешли мне.

— Ох ты господи, я и не сообразил. Я, знаешь ли, как Паниковский, «человек с раньшего времени».

— Ничего, справишься, это совсем несложно.

Вскоре список пришел. В нем было немало пунктов. Злата тяжело вздохнула, но все-таки поехала в супермаркет, где все и закупила.

Мне просто бог послал Анну Захаровну. Мало того, что дом теперь всегда в порядке, так она еще восхитительно готовит. Злата и сама хорошо готовила, но стоять постоянно у плиты не любила. А Денису угодить было нелегко.

Муж Златы, известный писатель Денис Кузнецов, писал фантастические романы, пользующиеся бешеным спросом, а Злата, окончившая в свое время полиграфический институт, работала редактором в издательстве.

Денис был выпускником Бауманки, работал в научном институте, зарабатывал гроши, и однажды, попав в больницу с обострением язвы желудка, вдруг вздумал попробовать написать фантастический роман. Так, для себя. Он еще в школе пробовал писать фантастику, но тогда друзья над ним посмеялись, и он прекратил попытки. А тут, изнывая от больничной жизни, он попросил отца принести компьютер. И вдруг ему показалось, что писать безумно интересно. Он только об этом и думал. И язва, никак не желавшая заживать, вдруг стала заживать с невиданной скоростью. Врачи только диву давались. И вскоре выписали его со словами: «Удивительное дело! Язва практически затянулась». Он взял отпуск за свой счет и писал с утра до поздней ночи. И к концу отпуска роман был дописан. Он показал его отцу. Тот одобрил, присовокупив, правда: «Я не люблю фантастику как жанр, мало что в ней смыслю, но написано, право же, неплохо! Но давай все же покажем рукопись Ивану Валерьевичу. Он обожает фантастику». Показали. А Иван Валерьевич позвонил своей соседке, работавшей в крупном издательстве редактором. Девушку звали Злата. Он показал ей рукопись. И она сказала, что, кажется, это находка для их издательства. Но так как она тоже небольшой знаток фантастики, то покажет рукопись заведующему редакцией фантастики. И тот, прочитав роман, позвонил Денису. Так и завертелось. Книга вышла в свет через три месяца. Но тогда они со Златой так и не познакомились.

Но однажды, когда у Дениса вышла уже вторая книга, они встретились в коридоре издательства. Он обратил внимание на прелестную девушку с удивительными глазами, веселыми и добрыми. В издательстве такие встречались нечасто. Он пригласил ее в буфет, выпить кофе. А когда узнал, что ее зовут Злата, он вдруг покраснел, прижал руку к сердцу со словами:

— Господи, Злата, простите меня, я просто неблагодарный чурбан! Ведь это именно благодаря вам я попал сюда... Я давно терзался мыслью...

— О том, что вы неблагодарный чурбан? — рассмеялась она.

— Вот именно! Но я счастлив с вами познакомиться, и жажду хоть чуть-чуть загладить свою вину. Вы не хотите завтра пойти в театр?

— В какой?

— В «Современник»?

— Ну, в принципе...

— Замечательно! А потом поужинаем где-нибудь...

— А какой там спектакль?

— «Двое на качелях» с Чулпан Хаматовой.

— О! С удовольствием.

— Тогда без четверти семь у театра!

— У вас уже есть билеты?

— Пока нет, но там работает моя троюродная сестра. Она добудет...

— Хорошо. Я приду, Денис!

Однако сестра не смогла добыть достойных билетов, только контрамарки, а Денис счел, что неприлично вести едва знакомую девушку так, по контрамарке, и когда встретил у театра Злату, вручил ей букет тюльпанов.

— Ваша сестра не достала вам билеты, да?

— Да, как ни прискорбно... А как вы догадались?

— Просто вы не принесли бы мне цветы.

— Надо же... Но в ресторан вы со мной пойдете?

— Пойду! Я после работы не успела поесть. И еще думала, как доживу до конца спектакля...

Вот тут он в нее и влюбился. А через полгода они поженились.

Поначалу жили в квартире с отцом Дэна, отношения со свекром у Златы сложились хорошие, но Денис был одержим идеей жить за городом, снял небольшой дом в Подмосковье. Он давно ушел из института и целиком посвятил себя писательству. И хотя Злата работала в другой редакции, она тщательно отслеживала все этапы его работы. Редактировала рукописи, проверяла все документы, которые давали ему на подпись. Она любила мужа и готова была помогать ему буквально во всем. В какой-то момент она сказала, что хочет ребенка.

— Нет, золотая моя, рано!

— Как бы поздно не было!

— Не смеши меня! Тебе всего двадцать семь.

— Мне уже двадцать семь.

— Ерунда, успеем! Надо сперва встать на ноги, обзавестись собственным домом, где я смогу спокойно работать, несмотря на детские крики, нанять хорошую профессиональную няню, словом, жить как белые люди. Моя карьера пока только еще на взлете, а ребенок может затормозить этот взлет, подумай сама...

Она подумала и согласилась с мужем. Время еще есть. Росли тиражи, соответственно, росли и гонорары. Книги Дениса переводились на другие языки, его нередко приглашали за границу, Злата ездила с ним. Ей это нравилось. Денис настоял, чтобы она уволилась с работы и занималась только его делами.

— Живете как буржуи, — говорила Златина соседка по московской квартире тетя Шура. —

Вишь ты, загородный дом, две машины, ворует твой мужик небось...

— Почему это он ворует? — возмущенно вскидывалась Злата. — Он пишет книги, люди их читают... И дом пока еще не наш.

— Нешто за писанину такие деньжищи платят?

— Представьте себе! У нас есть авторы, которые получают куда больше, а уж за границей популярные писатели вообще...

— Чудны дела твои, Господи!

Злате сейчас нравилась ее новая жизнь, нравилось ездить с мужем по разным странам, останавливаться в хороших отелях.

Как-то в Берлине, после весьма успешных переговоров в крупном издательстве — тут пригождалось ее знание языков — немецкого и английского, — они сидели в очень милом аргентинском ресторанчике на свежем воздухе, ели потрясающе вкусное мясо, запивая его отличным красным вином, как вдруг Денис заявил:

— Златка, я хочу выпить за тебя, ты не только замечательная жена, красивая женщина, ты еще и мой талисман! Все мои успехи связаны с тобой! И поскольку сегодня ты в борьбе за мои интересы...

— За наши интересы, — поправила она его.

— Пусть так, — кивнул Денис. — Но я хочу, чтобы мы сейчас же пошли и купили тебе что-нибудь эдакое...

— Что эдакое?

— Вот что захочешь, то и купим!

— А вдруг я захочу бриллиантовое колье?

— Как-то слабо верится, — засмеялся муж.

— И ты прав, бриллиантовое колье мне как-то ни к чему. Но предложение принимается, только с одной поправкой...

— Внимаю!

— Я пойду по магазинам одна! А то ты быстро утомишься, начнешь ныть, а это скучно. А ты лучше пойди в отель и поспи. А то ты уже клюешь носом!

— Согласен! Короче, купи все, что понравится, ну, в пределах наших возможностей, тебе они известны даже лучше, чем мне.

Когда она вернулась в отель, муж сидел у телевизора и смотрел футбол.

— Ну, как успехи? — рассеянно спросил он.

— Дэн, вот кончится матч, тогда покажу. А то ты не поймешь ни черта...

— А почему только один пакет?

— Ну, вообще-то два. Просто маленький лежит в большом.

Ей безумно хотелось продемонстрировать ему свою покупку, но она слишком хорошо знала его любовь к футболу.

Но вот он выключил телевизор.

— Златка, валяй, показывай!

И она достала из большого пакета вещь, показавшуюся ему по меньшей мере странной.

— Это что?

— Увидишь!

Это была шуба, длинная, в пол, из белой овчины, напоминающей папахи горцев. По спине шубы шла зеленая полоса зигзагом, наподобие молнии, спереди на одной поле тоже было что-то зеленое. Злата сияла!

— Это что вообще, я не понял?

— Шуба!

— Чепуха какая-то... И где ты среди лета нашла в Берлине шубу?

— В одном дизайнерском магазине. Я увидела там фотографию этой шубы, влюбилась в нее и спросила... Мне ее вынесли и по случаю лета даже сделали хорошую скидку. Скажи, какая прелесть!

— Да в чем прелесть-то?

— Посмотри, как она мне идет! — ликовала Злата. — И потом, второй такой просто нету!

— И куда ты в ней будешь ходить?

— Да куда угодно! Она легкая, теплая...

— Ага, таскаться по московской грязи с обшмыганным подолом, вообще примут за городскую сумасшедшую...

— Много ты понимаешь! — возмутилась Злата.

В результате они поссорились. Ссоры у них случались редко, и оба пребывали в дурном настроении.

На другой день Денис сказал за завтраком:

— Ну извини, я просто думал, ты купишь себе какую-то статусную вещь... Я, видимо, не понимаю... Это модно теперь?

— А мне как-то плевать на статусность! Но я обещаю, когда мы вместе куда-то будем ходить, я ее надевать не стану! Буду ходить в чем-то статусном...

— У тебя же есть норковая шуба.

— Не смеши меня, норку сейчас носят жук и жаба, тогда уж для статуса надо носить соболя. Но, боюсь, мы пока не потянем...

Злата сама себе удивлялась, но почему-то эта, казалось бы, пустяковая ссора оставила в душе какой-то осадок. Совсем легкий, пустяковый, как и сама ссора.

Егор терпеть не мог разговоры о том, что ему пора жениться. Легче всего он переносил мамины увещевания на сей счет. От друзей-приятелей просто отмахивался, а вот когда Таня в очередной раз завела этот разговор, в груди закипело раздражение, сдержать которое было трудно.

А Таня, видимо, поняв безнадежность этой затеи, раскричалась:

— Ты подлец! Ты дал мне надежду!

— Когда это я дал тебе надежду? Я, наоборот, предупредил сразу, что о женитьбе не может быть и речи, и ты вроде согласилась, так что ж теперь?

— Просто у тебя завелась другая!

— Если у меня завелась другая, то что, собственно, ты здесь делаешь? В моей квартире? Все дело в том, что другая у меня не завелась, и ты это прекрасно знаешь, но полагаешь, что таким заявлением спровоцируешь меня и что-то выяснишь...

— А вот и врешь! Я нашла у тебя в машине зонтик! Голубенький с розочками... Скажешь, это твой?

— Нет, не скажу.

— Ага! Вот ты и признался!

— В чем?

— Что у тебя есть другая! Кто она? Чем она лучше меня?

В голосе Татьяны уже слышалась истерика.

— Тань, успокойся бога ради, нет у меня никого, — примирительным тоном сказал Егор. Он ненавидел женские истерики. — И вообще... Зонт это не улика.

— А откуда же он у тебя в багажнике?

— Изволь, я расскажу, но ты же априори не поверишь.

— Что ты расскажешь? Что к тебе на этом зонтике прилетела Мэри Поппинс для взрослых мальчиков?

Он поморщился, это прозвучало нестерпимо вульгарно.

— Нет, просто на днях я забыл свой зонт в машине, а полил такой дождь... Я опаздывал на встречу с клиентом, и вдруг ко мне подошла женщина и протянула мне этот зонт.

— Интересно, с какой стати?

— Да просто по-человечески! Она заметила, что я нервничаю, и отдала мне зонт. Я спросил, как мне его вернуть потом, а она сказала, что он ей не нужен, вот и все!

— И сколько лет было этой благодетельнице?

— Лет под шестьдесят, наверное, — благоразумно соврал Егор.

— Ты врешь!

— Не хочешь, не верь, дело твое, — пожал плечами Егор. И подумал: надо заканчивать эту историю... Что-то у меня нервы сдают...

— Егор, это правда? — пошла на попятный Таня.

— Истинная правда. А ты не веришь, дело твое! И вообще, Танюша, давай-ка расставим все точки над i. Ты, как все девушки стремишься замуж. Я это понимаю, но не готов пока к такому шагу. Ты красивая, сексапильная, легко найдешь себе другого, который с восторгом женится на тебе... А меня уволь! И потом, ты же мечтаешь жить за границей, а для меня это нонсенс. Так что тебе тут ловить? Совершенно нечего.

Таня испугалась.

— Ну, Егорушка, прости, я же люблю тебя и никто другой мне не нужен, хоть и за границей... Да, я ревную, но это же естественно...

— Спорный вопрос. И потом, ревновать к зонтику — это абсурд!

— Но что я должна была подумать, найдя у тебя такой зонтик?

— Понятия не имею! Во всяком случае, устраивать истерики по этому поводу по меньшей мере глупо.

— Значит, ты... не должен возвращать этот зонтик?

— Я бы вернул, но некому.

— Но тогда... тогда можно я его выброшу?

— Да ради бога! Можешь даже порезать его на лоскутки, мне не жалко.

— Именно так я и сделаю!

Таня сорвалась с места, схватила ключи от его машины и ринулась прочь из квартиры. Вскоре она вернулась и демонстративно раскрыла зонт.

— Так я его порежу?

— Режь, если охота!

Таня взяла ножницы и начала кромсать раскрытый зонт.

«Вот дура! — подумал Егор. — Это ведь она проверяет, не дернусь ли я, не попытаюсь ли отобрать у нее дорогую для меня вещь... Идиотка!»

Через три минуты зонтик был уничтожен.

— Ты довольна?

— Представь себе.

— Ну и слава богу!

— Давай выпьем чаю! — предложила Таня.

— Давай! Я купил хорошее печенье...

Она заварила чай. Это она все-таки умела.

— А вот скажи, ты в подобной ситуации могла бы предложить зонт совершенно незнакомому человеку?

— Ну, смотря какому, — кокетливо ответила Таня.

— Не понял!

— Ну, бабе бы точно не отдала...

— Все понятно. Закрываем тему! — сердито проговорил Егор.

За завтраком Злата спросила мужа:

— Скажи, Дэн, а как ты отнесся бы к тому, что я взялась бы представлять интересы еще какого-то автора?

— Какого? — вскинулся Денис.

— Да вот мне предложили стать агентом Маргариты Сладковой?

— С чего это вдруг?

— Понимаешь, я была в издательстве, и ее редактор Сонечка Желткова... Она выходит замуж и переезжает в Эстонию. Боится, что работать удаленно ей не дадут, она занималась всеми делами Сладковой, а тут...

— Ну, значит возьмут кого-то на ее место, а тебе это зачем?

— Да мне нетрудно и все же лишние деньги...

— И ты будешь везде представлять интересы этой бабы. Нет! Нет и нет! Я не хочу!

— Ну не хочешь, не буду, — пожала плечами Злата. Она нисколько не расстроилась. С нее вполне хватало забот с капризным мужем и загородным домом. Да оно и лучше, меньше будет разговоров в издательстве. Так я представляю интересы только своего мужа и все. А ведь он не согласился из ревности... в данном случае не мужской, а авторской... Забавно, однако! Но я же его люблю... А вот интересно, как бы он повел себя, если бы кто-то вдруг вздумал ухаживать за мной? Впрочем, иногда он даже бывает доволен, что жена пользуется успехом... Вот однажды в ресторане Дома кино ко мне приклеился знаменитый испанский актер, красавец и донжуан, подсел к нам за столик, нашептывал комплименты... Я думала, Денис набьет ему морду, но ничего подобного. Он был весьма доволен.

— Дэн, что это с тобой? — удивилась она тогда.

— А что такое? Не лезть же мне в драку с таким типом. Все это мгновенно попадет в Сеть, зачем мне такая радость? К тому же я уверен в своей жене и горжусь тем, что такой еврокрасавчик обратил на нее внимание. А ты что, хотела бы тут мордобоя?

— Боже упаси!

Злата ехала в издательство, когда позвонил свекор.

— Алло, Григорий Романович!

— Здравствуй, детка!

— Григорий Романыч, что у вас с голосом? Вы заболели?

— Нет, Златочка, я в общем здоров, но у меня случилось кое-что. Я хотел бы с тобой посоветоваться.

— Что-то плохое?

— Не знаю... но... Да, плохое. Очень плохое!

— А Дэн в курсе?

— Нет. И пока я не хочу его посвящать.

— Я могу чем-то помочь?

— Как минимум советом. Ты сейчас занята?

— Это срочно?

— Ну часа два-три можно повременить...

— Вы дома?

— Да, я отменил лекции.

— Я сейчас же приеду!

— Спасибо тебе!

Злата позвонила в издательство, там дело терпит, и поехала к свекру.

Тот встретил ее печальной улыбкой. Вид у него был ужасный. Глаза красные, он как-то сразу постарел, осунулся.

— Приехала? Спасибо тебе!

— Господи, Григорий Романович, что стряслось? Вы вообще спали, ели?

— Нет, не спал и кусок в горло не лезет!

— Тогда так: сначала я вас покормлю, а потом вы мне все расскажете.

— Я не хочу есть.

— А я не позволю вам уморить себя голодом, что бы там ни было.

Злата залила кипятком овсянку, порезала туда яблоко и на четыре минуты сунула в микроволновку. Добавила ложечку сливочного масла, размешала и поставила перед свекром.

— Ешьте!

— Там яблоко? Вкусно...

— Бутерброд вам сделать?

— Нет, спасибо, достаточно.

Она подала ему стакан крепкого чаю. Села напротив.

— А теперь рассказывайте!

— Ох, трудно, начинать надо издалека...

— Так начните, я не тороплюсь.

— Видишь ли... Дело в том, что у меня... есть дочь...

— Какая дочь?

— Моя родная дочь, девочка. Василиса, Вася, ей двенадцать лет.

— Так... И где эта дочь была раньше?

— Нет-нет, все совсем не так, как ты подумала. Я знал о рождении девочки с самого первого момента... Ее мать живет... жила в Воронеже, я бывал там довольно часто по работе... Ну и... Ты не думай, это была любовь... Лена, она была святой человек... Когда поняла, что беременна, мне даже не сказала, но я случайно узнал, от ее подруги...

— Так, кажется, я понимаю...

— Что ты понимаешь?

— Эта женщина... с ней что-то случилось и девочка осталась одна?

— Да, все так. И что мне теперь делать?

— А можно бестактный вопрос?

— Валяй!

— Почему вы не женились на этой женщине, когда овдовели?

— Я думал... Но Лена категорически отказалась. Я всегда помогал ей... ну... материально, но она не захотела выйти за меня... говорила, что не хочет ничего в своей жизни менять, навязывать мне что-то... И я тогда подумал, что так и вправду лучше... Ничего не менять... А теперь вот...

— А там есть, к примеру, бабушка?

— Бабушка есть, но она... Лена ни за что не хотела, чтобы бабушка присутствовала в жизни девочки, она сектантка.

— О господи! Но в таком случае есть только один выход. Взять девочку сюда! Другого я не вижу! Девочка... Вася, она знает вас?

— Нет, не знает.

— Будет трудно... А Денис в курсе?

— Нет, вообще нет. И Валя не подозревала...

— Девочка записана на вас?

— Да, я признал ее.

— Уже легче. Вот что, Григорий Романыч, с кем девочка сейчас и что, собственно, случилось с ее матерью?

— Вася у Лениной подруги... А Лена... Ее сбила машина.

— Так... Григорий Романович, я завтра же поеду в Воронеж, познакомлюсь с девочкой и попытаюсь привезти ее в Москву. Сейчас лето, каникулы, пусть она пока поживет у нас за городом, привыкнет, как-никак Денис ее брат, я к осени переведу ее в московскую школу, устрою ей комнату здесь, у вас, и будем жить. Другого выхода я не вижу, не может ребенок при живом отце жить сиротой!

— Злата, девочка моя! Я знал, что ты все придумаешь, а я, старый осел, вконец растерялся. А ты скажешь Денису?

— А как иначе? А может, мы с вами вместе поедем в Воронеж?

Григорий Романович замялся.

— Вам страшно?

— Если честно, да... Очень страшно.

— Вы поэтому не поехали на похороны?

— Нет! Нет! Я узнал о гибели Лены уже после... похорон. Мне попросту не удосужились сообщить вовремя, что, впрочем, не удивительно, я ведь практически не присутствовал в их жизни...

— Да, надо спешить, органы опеки могут вообще забрать ребенка, они иной раз просто свирепствуют, особенно когда не надо.

— Злата, что ты говоришь!

— Ладно, Григорий Романыч, я сейчас поеду к Денису, все ему расскажу, объясню...

— Не знаю, как он отреагирует...

— Как бы ни отреагировал, а ребенка надо забрать.

— Как же повезло моему сыну! — с горечью проговорил Григорий Романович.

В трудных ситуациях Злата умела собираться. Подъехав к дому, заехала на участок, но загонять машину в гараж не стала. В доме было тихо, очевидно Денис работал у себя в кабинете. Она взбежала на второй этаж.

— Денис!

Он оторвался от компьютера.

— Златка, что-то случилось?

— Да, случилось! Денис, надо серьезно поговорить.

— А немного отложить нельзя?

— Нельзя!

— Ну, говори!

— Денис, выяснилось, что у тебя есть сестра.

— Сестра? Какая сестра? Откуда? Что за бред?

— Мне позвонил твой отец. Оказывается, у него есть дочка в Воронеже, ей всего двенадцать лет.

— Ни фига себе! — присвистнул он.

— Ее мать сбила машина. Насмерть. Девочка осталась одна. Я завтра еду в Воронеж и привезу ее сюда. Пусть лето поживет здесь, а с осени переберется к отцу, пойдет в школу. Иначе мы поступить не можем, не имеем права.

— Ну, в принципе ты права... Дом большой, места хватит и двенадцать лет... вряд ли от нее будет много шума... И вообще, жалко девчонку, каково ей там... Знаешь, поедем вместе! Все-таки я ее брат... У меня есть, вероятно, какие-то права на нее...

Все-таки я не зря его люблю, подумала растроганная Злата.

— Значит, отец ее признал... Но каков тихоня! И, похоже, мама ни о чем не подозревала... Ее счастье, что она не дожила. Ушла в уверенности, что у них был идеальный брак...

— А бывают вообще идеальные браки?

— Вот у нас, кажется, идеальный брак!

— Плюнь три раза через левое плечо и постучи по дереву.

Денис созвонился с подругой покойной Елены Анатольевны и предупредил о своем приезде.

— Это хорошо, — сказала подруга, Арина Робертовна. — Васенька страшно тоскует, боится, что ее заберут в детдом...

— Да какой детдом! Вы можете позвать ее к телефону?

— Попробую! Вася, иди сюда, звонит твой брат, что значит — какой? Твой родной брат по отцу.

— Алло!

— Василиса? Здравствуй, сестренка! Я твой брат, меня зовут Денис, мы с женой завтра к тебе приедем и заберем тебя к нам. Ни о каком детдоме даже не думай. Я не отдам туда свою сестренку, будь уверена! Собирай вещички и готовься к новой жизни. А главное, усвой, ты не одна в этом мире, у тебя есть отец, старший брат, а у брата чудесная жена. Усвоила? Ну постарайся, Вася!

— А что мне остается? — горько проговорила девочка.

— Поверь, Васенька, тебе у нас будет хорошо, а в августе смотаемся все вместе куда-нибудь к морю... Ты была на море?

— Была. В Евпатории.

— А мы махнем на Средиземное!

— А у вас... у вас есть дети?

— Пока нет. Короче, Василиса, жди нас, мы завтра приедем!

Денис положил трубку.

— Фу, как трудно... Жалко девчонку, сил нет! Но папаша-то каков! По-хорошему надо бы ему самому поехать...

— Он боится.

— А я, думаешь, не боюсь? Но как подумаю, как боится девчонка, стыдно становится.

— Денис, я тут посмотрела в Интернете, есть хороший поезд, до Воронежа шесть часов, очень комфортно, и чем добираться до аэропорта, лучше до Казанского вокзала. Я закажу номер в гостинице, поглядим, как там и что...

— А зачем нам гостиница? Заберем девочку и домой!

— Нет, так не годится. Это ж не щенка из питомника забирать.

— Господи, Златка, какая ты разумная... Обалдеть! Ладно, делай все так, как считаешь нужным. А куда мы Василису поселим?

— В комнату для гостей, куда же еще... Там красиво, уютно...

— У нас в доме везде красиво и уютно! Вообще, я на редкость удачно женился!

— Ладно, кончай с подхалимажем.

— Дай поцелую!

— Денис, пообещай мне, если у тебя вдруг где-то на стороне появится ребенок...

— Типун тебе на язык! Выдумаешь тоже...

— Ну, от этого ни один мужик не застрахован.

— Златка, кончай бодягу!

— А тебе не интересно, какое обещание я хотела с тебя слупить?

— Ну?

— Ты мне все откровенно скажешь, я пойму...

— Да ладно, ерунда это все! Давай, я еще поработаю, по крайней мере, попытаюсь...

— Ну попытайся!

Надо же, думала Злата, как легко Денис принял эту новость, как по-доброму отнесся... Но он человек легкомысленный, он даже представить себе не в состоянии, какие сложности могут возникнуть. Как сложатся отношения Василисы со всеми нами, и в первую очередь с отцом. У нее сейчас самый трудный возраст, она потеряла мать, вся ее прежняя жизнь полетела к чертям... Конечно, если она боится детского дома, то наше предложение покажется ей оптимальным. Наверное... И правильно, что Денис пообщался с ней. И он так хорошо говорил с девочкой, так по-доброму, без дурацкого сюсюканья... Ладно, поживем — увидим.

Усевшись в удобное кресло в поезде, Денис вытащил ноутбук и попытался работать. А Злата задремала, ночью она спала плохо, волновалась, как все будет. И вскоре уснула. Проснулась вдруг от телефонного звонка.

Номер был незнакомый. Весьма деловитый женский голос спросил:

— Это госпожа Остужева?

— Да.

— С вами говорит заместитель генпродюсера студии «Величина». Знаете такую?

— Честно говоря, нет, не знаю.

— Ну, это неважно. Скажите, вы ведь представляете интересы Дениса Кузнецова, так?

— Совершенно верно.

— Извините, а что это у вас шумит?

— Я сейчас еду в поезде. Но я вас прекрасно слышу! Что вы хотели?

— Видите ли, мы бы хотели... Нам стало известно, что права на экранизацию романа «Плюс-минус бесконечность» принадлежат самому автору. Это так?

— Да.

— Мы бы хотели их купить.

— И что дальше?

— Как вы к этому отнесетесь?

— Простите, вы не представились. Назвали только свою должность...

— Ах да, меня зовут Виола.

— Так вот, Виола, права на этот роман пока свободны. Однако вот так, по телефону, такие дела не решаются. Необходимо встретиться, поговорить, выслушать ваши предложения, понять, что будет происходить в случае, если мы продадим права, а то обычно покупают права и забывают об авторе как о смерти...

Краем глаза Злата видела, что Денис бросил работу и внимательно прислушивается к разговору.

— Да, вы, разумеется, правы, когда мы могли бы встретиться с вами и господином Кузнецовым? Вы едете из Москвы или в Москву?

— Из Москвы. И вернемся... в начале следующей недели.

— Ох, как долго! Может, мы по скайпу пообщаемся?

— Да нет, знаете ли, это несерьезно, тем более у нас исключительно важные дела там, куда мы едем, и будет не до переговоров. В конце концов три-четыре дня ничего не решают. К тому же мы ничего пока не знаем о вашей структуре, надо навести справки. Короче, если у вас за эти дни не пропадет интерес, звоните.

— Ну, Златка, ты суровая дама! Что хотят?

— Права на «Плюс-минус бесконечность».

— Но это же интересно!

— Денис, поверь, я знаю, что делаю. С киношниками надо держать ухо востро, ни в коем случае не соглашаться сразу, это самая ненадежная и даже хамская публика. Когда я еще работала в издательстве, мне рассказывала одна авторша, что ей постоянно звонили из какой-то крупной структуры, звонила дама, заместительница генпродюсера, который сам был в долгой командировке, убалтывала эту авторшу, расписывала ей, как они вместе будут писать сценарий, спрашивала, курит ли та, пьет ли кофе, расписывала, как они там все обожают романы этой авторши...

— И что? — заинтересовался Денис.

— Ничего! В один прекрасный день кинодама просто перестала звонить. Тем дело и кончилось.

— Бред какой-то!

— Я знаю кучу подобных историй! А другой авторше вдруг позвонил очень известный народный артист, который баловался режиссурой, сказал, что буквально влюбился в один ее роман, жаждет сам его поставить и сыграть главную роль. Дама согласилась с ним встретиться в понедельник.

— И?

— Он больше вообще не позвонил. Никогда!

— Ничего себе!

— Я понимаю, тебе хочется увидеть своих героев на экране, это вполне естественно, однако в девяноста девяти случаях автор приходит в ужас, не узнавая ни своих героев, ни сюжета, ни текста...

— Да, я слышал об этом.

— И еще, Денис, если все-таки встреча состоится, мы пойдем на нее со своим юристом.

— С каким юристом?

— Я знаю одну женщину, она специалист по авторскому праву...

— Да, Златка, до чего ж я удачно женился!

— Цени! — засмеялась Злата.

— Да я ценю...

Денис закрыл ноутбук.

— Знаешь, Златка, я волнуюсь... Девчонку жалко ужасно, но какие бездны там могут открыться... Я пытаюсь поставить себя на ее место... Все новое... Люди, город, школа, а ей только двенадцать... И что у нее за характер окажется...

— Да, тут вопросов куда больше, чем ответов. Но одно хорошо, сейчас каникулы.

— А вдруг она любит слушать тяжелый рок?

— Пусть слушает, но в наушниках. Мы объясним ей, что ты работаешь дома, и тебе нельзя мешать. Денис, не настраивай себя заранее на всякие ужасы. Мы сделаем все, что от нас зависит, чтобы Василиса почувствовала себя в нашем доме уютно. Чтобы привыкла к нам.

— Да-да, ты права.

С вокзала они на такси заехали в гостиницу и помчались по указанному адресу.

Дверь им открыла полная женщина лет сорока.

— О, здравствуйте, заходите, мы вас ждем.

— Вы Арина Робертовна?

— Да, будем знакомы.

— Простите, а где Василиса? — спросил Денис.

— Да вы проходите, я тут испекла пирог, будем пить чай... Вы садитесь к столу, я сейчас ее позову.

Круглый стол был изящно сервирован, упоительно пахло свежей выпечкой и ванилью. Злата и Денис за стол не сели, слишком волновались. Но вот дверь открылась и вошла Арина Робертовна с девочкой. Худенькая, большеглазая, в глазах застыла печаль и, пожалуй, страх, как показалось Злате.

— Сестренка! — воскликнул Денис. — Ну, давай знакомиться! Меня зовут Денис, а это моя жена Злата! Какая ты большая и красивая! Понимаешь, Вася, мы не знали, что… у меня есть сестра, но я рад… Мне всегда хотелось иметь младшую сестренку… А тебе никогда не хотелось иметь старшего брата?

— Брата? Нет, мне всегда хотелось иметь кота… — печально проговорила девочка.

— Кота? Отлично! У нас есть кот… И собака есть. Ты собак не боишься?

— А она кусачая?

— Нет, очень даже мирная.

— А как зовут вашего кота?

— Мирон, Мирошка. Очень смешной кот. Он сластена. В Новый год мы забыли на столе торт, так он половину сожрал, Злата думала, он заболеет, так ничего подобного…

Девочка едва заметно улыбнулась.

— Скажи, Васенька, — ласково обратилась к ней Злата, — ты помимо школы, занималась чем-то еще? Музыкой, например? Языками?

— Мама... Со мной занималась французским, а музыкой... нет, у меня нет слуха...

— А спортом? — спросил Денис.

— Ну, зимой на коньках...

— А хотела бы чем-то еще заняться?

— Вышиванием. Мама говорила, это только глаза портить. А мне хочется попробовать.

— У Васи с глазами все в порядке, я, знаете ли, офтальмолог. И, думаю, ничего страшного, если она попробует вышивать, — улыбнулась Арина Робертовна.

— Прекрасно! — обрадовался Денис. — Злата, кстати, тоже одно время вышивала... И так здорово! Я так и вижу в высшей степени уютную картину: горит камин, на диване сидит с вышиванием Василиса, а рядом с ней спит Мирошка...

— А Мирошка... он поет песни?

— О да!

— А камин? У вас есть камин?

— Да. Мы же за городом живем.

Денис разливался соловьем, расписывая Василисе ее будущую жизнь. А Злата с Ариной Робертовной вышли в соседнюю комнату.

— Злата, вы не волнуйтесь так, девочка хорошая, нормальная... Только очень нуждается в тепле. Лена воспитывала ее достаточно строго, без особых нежностей, когда я говорила, что ребенок нуждается в тепле, ласке, она отвечала — нет, нельзя ее приучать к телячьим нежностям, ей потом будет тяжело в жизни... И кошку ни за что не хотела завести, говорила, у нее аллергия. Не было у нее никакой аллергии... Скажите, Злата, а почему отец не приехал? Испугался?

— Да, испугался. Я сперва думала, Вася лето поживет у нас, а с осени переберется к отцу... Но я не уверена теперь. Может, и дальше у нас будет жить... Впрочем, посмотрим... Скажите, а в школе у Васи конфликты были?

— Не знаю, не слышала об этом, но не думаю. Она в хорошей школе училась, там правильная атмосфера. Во всяком случае, никогда жалоб на школу не слышала ни от Лены, ни от Васьки. Да, и еще... Лена запрещала ей кататься на велосипеде...

— Почему?

— Боялась, что ее собьет машина… А в результате машина сбила ее, и без всякого велосипеда…

— Да, я понимаю эти материнские страхи… Моя мама панически боялась, когда я каталась на коньках, ей представлялось, что я непременно шлепнусь, разобью голову.

— Я думаю, особых проблем с Васькой у вас не будет, она умненькая, рассудительная. Не оторва какая-нибудь. Когда ваш муж по телефону сказал ей, что ни о каком детдоме речь не идет… Она вскоре уснула, да так крепко, а то после похорон вообще спать не могла…

— Господи, бедная девочка! А почему вообще у нее возникла мысль о детдоме?

— Да соседки там напели.

— Скажите, а Василиса вообще знакома с отцом?

— Нет. Лена не желала… Понимаете, Ваське было годика два, наверное, когда Григорий Романович овдовел… Я тогда сказала, мол, скорее всего, он теперь женится на тебе, заберет вас в Москву, а она заявила: если в течение года, максимум двух, он предложения не сделает…

— То что?

— То она выйдет замуж за Василия.

— А кто такой этот Василий?

— Да был у нее один... Она говорила, что он несерьезный, занимается какой-то чепухой, он все стремился снимать кино... у него ничего не получалось, одно время он вдруг сгинул, потом опять возник, словом, ерундовая история, но Ленку вроде любил... А Григорий Романович так и не женился, а Василий опять исчез, словом, осталась Ленка на бобах, а когда ваш свекор наконец дозрел, она ему отказала, вроде бы из гордости, и он это принял, даже с облегчением. Но ничего не скажу, деньгами он помогал по мере возможности... У Ленки вообще был трудный характер... Васька тоже от ее характера страдала... Думаю, вы с ней поладите.

— Очень надеюсь и сделаю все, что в моих силах.

— Дай-то бог!

Прошел месяц. Василиса освоилась в доме брата. Ей было там хорошо. Она беззаветно полюбила кота Мирошку, да и собаку Кузю, помесь лайки с немецкой овчаркой, тоже. Но больше всех она привязалась к Злате. Та удивительным образом умела угадывать желания девочки. Да и к старшему брату она относилась с симпатией. Но он был занят работой и уделял Василисе не так много внимания. А вот с отцом отношения не складывались.

Еще в поезде по дороге в Москву она спросила Злату:

— А почему он... не приехал на похороны мамы?

— Это не так. Твой папа узнал о смерти мамы уже после похорон.

— Это он так сказал?

— Да, конечно.

Василиса глухо замолчала.

— Он наврал, — проговорила она минут через пятнадцать. — Тетя Арина сразу ему позвонила... И он сказал, что никак не сможет... заболел, что ли...

— Васенька, ты попробуй его понять. Он уже немолодой человек, он просто не знал, что ему делать, он давно живет один, а тут вдруг ребенок, он растерялся, и правда плохо себя чувствовал, он не врал...

— И поручил вам...

— Ничего он мне не поручал! Он вызвал меня, и все рассказал, мы с Денисом понятия ни о чем не имели, но Денис, как только услыхал, что у него есть сестренка, сразу же бросился тебе звонить. Обрадовался!

— Он хороший...

— Да, очень хороший.

— А я теперь всегда буду с вами жить?

— Ну, если не захочешь жить с отцом...

— И я не буду вам в тягость?

— Если не станешь громко включать тяжелый рок! — улыбнулась Злата. — Денис этого не выносит.

— Я тоже.

— Значит, все у нас будет прекрасно.

Григорий Романович на следующий день приехал за город к сыну.

— Здравствуй, Васенька, деточка! — смущенно пробормотал он и неловко обнял девочку.

— Здравствуйте...

— Васенька, говори мне «ты», я же твой папа.

— У меня сразу не получится.

— Знаешь, я... я хотел что-то подарить тебе, но не знал, что... И вот купил... сейчас все девочки с такими ходят... Это смартфон... Вот, держи, я подумал, для кукол ты уже большая... Да?

— Спасибо! — просияла Василиса. И, прижав коробку к груди, смылась куда-то.

— Кажется, угодил...

— Да, очень! Григорий Романович, успокойтесь, все мало-помалу наладится. Вы привыкнете, но мы с Денисом подумали и решили, пусть Вася постоянно живет с нами. Тут недалеко есть нормальная школа, будем ее туда возить. Мы с ней вполне нашли общий язык. И мне кажется, ей у нас хорошо!

— Дай-то бог! А мне и вправду трудно с ней, не знаю, как себя вести...

— Ведите себя нормально, как обычно, все проблемы будем решать по мере их поступления. А сейчас просто порадуйтесь тому, что у вас такая славная дочка. И не бойтесь ее, а то она это почувствует, и тогда уж я ни за что не смогу поручиться. Возраст у нее трудный.

— Да, ты права... Как всегда, права. А вот скажи... Мне буквально вчера предложили прочесть курс лекций в Испании, в Бильбао... Я вчера не мог ответить, не знал...

— Поезжайте! — решительно заявила Злата.

— Но как?

— Элементарно! Вася все равно будет с нами. А для вас это будет спасением. Езжайте, общайтесь иногда с ней по скайпу, рассказывайте ей о красотах Испании, показывайте снимки, по крайней мере, будет тема для общения. И еще, в каждом городе, где будете, покупайте ей какой-нибудь симпатичный сувенир. Она привыкнет к вам, поймет, что вы о ней помните и заботитесь.

— Ты серьезно так думаешь?

— Абсолютно серьезно. И как хорошо, что вы купили ей смартфон. У нее своего не было, остался только старенький от матери.

— Знаешь, я, кажется, счастливый человек, у меня хороший сын, золотая невестка и вдобавок маленькая дочка...

— Вот, это правильный настрой, а то приехали такой испуганный...

— Скажи, а как насчет внуков?

— Ишь как вы расхрабрились! — засмеялась Злата. — А вам не терпится стать дедом?

— Ничего не имею против. Роль деда, если честно, подходит мне больше, чем роль молодого и неопытного отца...

— Вот даже как! Ничего, справитесь вы с ролью отца, будете такой воскресный папа, это не слишком обременительно...

Злата вдруг ощутила глухое раздражение, старый хрыч уже, а инфантилен, как... Впрочем, это у них семейное... Денис тоже во многом очень инфантилен. Я их, что ли, разбаловала?

Когда Григорий Романович уехал в Москву, Злата спросила у Василисы:

— Он ужасно милый твой папа, правда?

— Не знаю. Старый какой-то... И как мама могла с таким...

— Любила, видимо...

Василиса покачала головой.

— Мне кажется, она не умела... — едва слышно проговорила девочка.

— Чего не умела? — ахнула Злата.

— Любить...

Злата растерялась.

— Что ты хочешь этим сказать?

— Никого она не любила.

— Но тебя-то любила?

— Нет.

— Не выдумывай!

Из глаз у девочки потекли слезы.

Злата обняла ее, прижала к себе.

— Васенька, маленькая моя, не надо так говорить и даже думать! Просто все любят как умеют, поверь, если твоя мама была достаточно строгой, и даже неласковой, это вовсе не значит, что она тебя не любила. Ни в коем случае! Просто она боялась за тебя, считала, что нежностями разбалует тебя, а кто знает, как сложится твоя жизнь... Мне и тетя Арина так говорила... И вообще, об умерших нельзя говорить плохо, и даже думать...

Девочка горько разрыдалась, обняла Злату, стала ее целовать.

— Златочка, миленькая, если бы ты знала, как мне хорошо у тебя! Мне никогда так хорошо не было! Златочка, не бросай меня, ладно?

— Здрасте, приехали, — сквозь слезы улыбнулась Злата, — с чего это я тебя брошу, ты же мне не чужая, и вообще... Ты мне знаешь кем приходишься?

— Кем?

— Золовкой!

— Это что — золовка?

— Сестра мужа. Золовка-колотовка!

— Почему?

— Так в народе говорят.

— А ты мне кто?

— А я тебе невестка. Ну все, слезы высохли, и давай не будем больше сырость разводить. И знаешь, самое главное, чтобы мы были друзьями.

— Да, это важно... друзьями... Тогда, даже если ты разведешься с Денисом, ты меня не бросишь?

— Я тебя ни в какой ситуации теперь не брошу, но разводиться с Денисом у меня и в мыслях нет, подружка моя дорогая!

Злата искренне привязалась к Василисе. Она частенько брала ее с собой в город, накупила ей красивых шмоточек, водила ее по музеям, они частенько сидели в кафе и разговаривали обо всем на свете. Девочка была умненькая, развитая. Полюбила ходить в Третьяковку. После первого посещения Василиса сказала:

— Знаешь, что мне больше всего понравилось, какая картина?

— Ну?

— «Три подземные царевны».

— Да ты что? Я в детстве тоже обожала эту картину! Надо же... А что тебе еще понравилось?

— «Лунный свет»... Просто волшебство...

— Молодец.

— А кто твой любимый художник?

— Серов и Врубель.

— Почему ты мне не показала?

— Я хотела, чтобы ты сама сделала свой выбор...

— Ну и где мои девчонки целый день мотались? — поинтересовался Денис.

— В Третьяковке были, — с гордостью доложила Василиса. — Злата мне каталог купила, можно я пойду к себе?

— Беги! Златка, мне тут опять киношники звонили.

— Те же?

— Да нет, другие... А те так больше и не прорезались?

— Нет. А что я тебе говорила! Ну, а эти чего хотят?

— Встретиться.

— А ты сказал, что у тебя есть агент?

— Сказал, конечно! Будут звонить тебе.

— Поживем — увидим! Есть хочешь?

— Нет. Меня Анна Захаровна накормила. Я смотрю, ты здорово поладила с Васькой.

— Не просто поладила, а искренне полюбила... И она так во мне нуждается, бедняжка...

А Денис подумал: вот и хорошо, может, перестанет мечтать о младенце? Васька уже большая и вполне вменяемая, а младенец... мало ли какой еще родится... Страшно...

Василисе и впрямь было хорошо в доме брата. Никто не читал нотаций, не запрещал читать какие угодно книги, смотреть телевизор, и главное, все это, книги и телевизор, всегда можно было обсудить со Златой. Василису записали в школу. Они втроем поехали туда, Денис разговаривал с директрисой, которая очень сочувственно отнеслась к ситуации, а заодно попросила его как-нибудь, когда начнется учебный год, провести встречу со старшеклассниками, им будет интересно познакомиться с писателем-фантастом. Он пообещал, не без удовольствия. Потом они втроем поехали в ресторан. В Воронеже девочка никогда не бывала в ресторанах. Зато Злата частенько ходила с нею в кафе, и той это страшно нравилось.

— Васька, как хорошо, что ты у нас есть, сестренка!

На другой день Злате позвонили с телевидения.

— Скажите, вы агент Дениса Кузнецова?

— Совершенно верно.

— И все переговоры нужно вести с вами?

— Со мной или, во всяком случае, в моем присутствии.

— Хорошо, в таком случае могли бы вы с Кузнецовым приехать к нам на переговоры?

— Простите, на переговоры о чем?

— Ох, извините, я не сказала... Мы хотели бы приобрести права на роман «Плюс-минус бесконечность». Вас это интересует?

— В принципе, да.

— А права принадлежат автору или издательству?

— Права на экранизацию принадлежат автору.

— Вот это прекрасно. Тогда давайте встречаться! И как можно скорее, чтобы осенью мы могли уже запуститься...

— Ну что ж... можно встретиться.

— Могли бы приехать завтра?

— Куда?

— Наш офис находится в Воротниковском переулке. Было бы идеально, чтобы вы приехали в час тридцать.

— Хорошо, будем.

— Я оставлю пропуска на входе. И не забудьте паспорта.

— Не забудем.

Злата поднялась к Денису.

Он с недовольным видом оторвался от компьютера.

— Дэн, звонили киношники, вернее, телевизионщики, завтра в час тридцать встречаемся с ними.

— Да? — обрадовался Денис. — Чего хотят?

— «Плюс-минус бесконечность».

— Интересно, почему все хотят именно эту вещь? У меня десять романов уже...

— Это элементарно. Он будет дешев в производстве. Никаких тебе космодромов, ракет, галактик... А сюжет интересный, живой и не слишком длинный. И актеров много не нужно. Красота!

— Да, помнится, когда я его написал, ты сразу сказала: киношники будут драться за эту вещь...

— Ну, пока еще не дерутся.

— Но это уже второе предложение!

— Первое нельзя считать, они же больше не появились. Я согласилась на встречу исключительно потому, что они назначили ее на завтра. Только прошу тебя, не спеши соглашаться. И предоставь все мне. Ты же знаешь, как я свято блюду твои интересы.

— Да, но...

— Денис, ты в деловых вопросах как ребенок, тебя ничего не стоит облапошить.

— Ну что ж мне — сидеть и кивать головой как китайский болванчик?

— Вот кивать-то как раз и не следует. Они, знаешь, как действуют? Задурят тебе башку комплиментами и радужными перспективами, наобещают с три короба — и режиссер-то будет знаменитый и первоклассный, и сценарист самый что ни на есть лучший, — ты уши развесишь и уже будешь на все готов, а они так тихонечко, чтобы не вывести тебя из эйфории, скажут: все супер, только вот канал хочет поменять название, оно не коммерческое, вы же понимаете, мы целиком зависим от канала... И вот у вас там есть вроде как инцест, так этого не нужно, и плевать им на то, что на этом якобы инцесте весь сюжет держится...

— Мать, ты меня совсем запугала... Так, может, ты одна поедешь к ним?

— Нет уж, если не сладится, я буду виновата.

— Ты в любом случае будешь виновата! — засмеялся Денис. — Нет, я поеду с тобой, буду там надувать щеки... Да, а ты что-то говорила насчет юриста?

— К сожалению, она сейчас в отпуске, но на первой стадии юрист не нужен. Может, мы вообще ни о чем не договоримся.

— Господи, до чего ж мне повезло с женой. И это при том, что ты не любишь фантастику как жанр.

— А мне это не обязательно, чтобы защищать твои и заодно свои интересы.

— Златка, я тебя люблю! В тебе есть все то, чего не хватает мне...

— Значит, ты меня любишь за мои деловые качества? Мне это не нравится!

— Ладно, не кокетничай! Мне надо работать!

Егор недавно вернулся из отпуска. Он ездил повидаться со старым другом, живущим в Финляндии. Там была дивная природа, роскошная рыбалка, но в те две недели, что он там провел, чуть ли не каждый день шли дожди. И друзья решили на два дня смотаться на пароме в Стокгольм.

— Егор, ты когда-нибудь плавал на пароме? — спросил Степан.

— Нет, на таком не доводилось. И вообще в Скандинавии никогда не был. Я предпочитаю теплые края.

— А я вот помешан на северной природе, и дожди люблю...

— Ты художник, а я простой юрист. Люблю теплое море, яркие краски. Вижу, ты хочешь сказать, что я до ужаса примитивный тип. Хотя, знаешь, с дождем у меня связано одно... как бы это выразиться... романтическое впечатление.

— Расскажи! — потребовал Степан. Они сидели в баре на пароме, и романтическая история была вполне уместна в такой атмосфере.

— Понимаешь, вроде бы ерунда, а в душу запала...

Егор рассказал другу о незнакомке, отдавшей ему свой зонтик.

— Красивая история... А девушка красивая была?

— Не знаю. Глаза чудесные, веселые и добрые. И вообще, много ли толку в красоте, к тому же теперь не знаешь порой, красивая она или пластический хирург хорошо поработал...

— Ну да... Надеюсь, ты хранишь этот зонтик как талисман?

— Нет. Его одна моя... знакомая в клочья изрезала.

— Ревность?

— Дурь!

— Скажи, а зонтик был яркий?

— Нет, голубой в розовых цветах.

Степан брезгливо поморщился.

— А ты узнал бы эту добрую девушку, если б встретил?

— Думаю, да. Знаешь, я в Москве практически не вспоминал о ней, а тут, когда дожди льют...

— Егор, я вот подумал, можно было бы написать картину в стиле импрессионистов...

Дождь, все серое... одинокий мужчина, весь мокрый...

— И к нему с небес подлетает под зонтиком девушка... Почти Шагал...

— Нет, я мыслил себе скорее что-то вроде Мане...

— Но поскольку ты не Мане и не Шагал...

— Художника может обидеть каждый сраный юристишка! — засмеялся Степан.

Егор тоже нисколько не обиделся, а рассмеялся.

— А что бы ты сделал, если бы вдруг встретил эту добрую душу?

— Шансов мало.

— И все же?

— Ну, для начала извинился бы за то, что не могу вернуть зонтик... Ну и попытался бы познакомиться... А что еще можно придумать?

— Но ты бы этого хотел?

— Сам не знаю. А вдруг разочаруюсь? Вдруг она тоже пошлая дура?

— Почему тоже? — засмеялся Степан.

— Потому что мне все попадаются пошлые дуры, видно планида такая...

— А ты не заметил, у нее было обручальное кольцо?

— Господи, ничего я не заметил, не до того было. Или не помню.

— Ну да... ну да... А вообще-то ты прав, лучше тебе с ней не встречаться... Хорошо, когда в душевном загашнике есть такая красивая история без всякой конкретики...

— Ну, а я о чем?

На вопрос матери, как он отдохнул, Егор ответил:

— Ничего, отоспался, по крайней мере, под звук дождя хорошо спится. Но больше я в Финляндию ни ногой! Не мой формат. Солнца хочу!

— А Степа как? Не женился?

— Нет, пока бог миловал, — засмеялся Егор. — Но он как раз любит дождь...

— Егор, я попрошу тебя поприсутствовать сегодня на предварительных переговорах с одним писакой, — сказал приятель-продюсер, которому Егор частенько оказывал юридическую помощь. Фирма из экономии не держала штатного юриста.

— Что за тема?

— Хотим купить права на один роман, автор сегодня приедет, будем знакомиться.

— А мне что делать на этой стадии? Или вы собираетесь сразу договор подписывать?

— Нет, конечно.

— А что за автор?

— Денис Кузнецов, фантаст.

— А я зачем нужен?

— Понимаешь, у него агент, его жена, такая, говорят, акула... С ней надо держать ухо востро. Не хотелось бы ничего лишнего им обещать, но и заманить как следует надо. И как бы не проколоться, как в случае с Маркушиным. Страшно вспомнить, как мы тогда замаялись! Тебя не было...

— Да ладно, тоже мне невинные овечки. Сами как пираньи, — проворчал Егор.

— Понимаешь, нам очень, подчеркиваю, очень хотелось бы купить права на этот роман.

— Тогда просто не поскупитесь, в чем проблема?

— Да напряженно у нас сейчас со средствами, сам что ли не знаешь, а роман в высшей степени бюджетный...

— Не понял?

— Там можно снимать всего в двух декорациях. И действующих лиц немного, лучше набрать классных артистов и... Ну что я тебе объясняю, сам все понимаешь.

— Погоди, ты сказал, это фантастика?

— Ну и что?

— И такая камерная?

— В том-то и роскошь! Никакого космоса, никакого светлого или темного будущего. Красота! Ну очень, очень надо!

— Ладно, знакомая песня! Вы вечно хватаете за копейки права на всякое дерьмо, а потом все это лежит мертвым грузом, — проворчал Егор.

— Да нет, тут другое! На эту вещь Мирзаян нацелился.

— Вот! Так пригласили бы на встречу Мирзаяна, и ваш фантаст с его акулой рты бы разинули от счастья и на все бы согласились. Такой режиссер!

— Да и пригласили бы, только он сейчас в Бразилии. И вернется не раньше чем через три недели...

— А что он там забыл, в Бразилии?

— У него там брат родной живет!

— Понятно. Жаль, у меня нет брата в Бразилии...

— Короче, завтра в час тридцать ждем тебя.

— Ладно. Буду!

— Златка, как мне лучше одеться?

— Джинсы и синяя рубашка, — сразу отозвалась Злата.

— А может, костюм с галстуком?

— Ну вот еще! Много чести! И потом, в костюме ты будешь чувствовать себя несвободно. Да и средь бела дня... Неуместно.

— Ну да, ты как всегда права.

А Злата, наоборот, оделась подчеркнуто строго, но вполне уместно для подобной дневной встречи. Бежевый костюм с красным шарфом и красные туфли на высоченных шпильках.

— Ух ты! А это не слишком вызывающе?

— В меру. Чтоб знали, — улыбнулась Злата.

— А тебе идет. Васька, хочешь, поедем с нами?

— А что мне там делать? — удивилась Василиса. — Нет, я лучше тут побуду. С Анной Захаровной, со зверями...

— Ладно, дело твое.

И они уехали.

— Я волнуюсь, — сказал Денис, — а ты?

— Да ни капельки. Я просто уверена, из этого ничего не выйдет.

— Ты разве пессимистка?

— Да нисколько! Просто с киношниками вязаться... Ладно, поглядим!

Она чувствовала, что Денису безумно хочется, чтобы все получилось. Он как-то слабо верил в те страшилки про киношников, которые она ему рассказывала. А она хорошо представляла себе эту публику.

— Что-то ваш фантаст задерживается, — заметил Егор.

— Пока еще на три минуты, это ерунда, в Москве такие пробки.

Но тут секретарша доложила, что Денис Кузнецов и его агент прибыли.

— Зови! — распорядился Игорь Олегович, продюсер, замгенерального.

В кабинет вошел высокий стройный мужчина, темно-русый, с пронзительно-голубыми глазами и элегантная женщина. Несмотря на высоченные каблуки, она едва доставала мужу до плеча.

Эффектная парочка, подумал Егор. И ножки у этой акулы что надо!

— Господа, весьма рад, — заулыбался продюсер. Он галантно приложился к ручке дамы, обменялся рукопожатием с писателем. — Присаживайтесь, прошу вас. Чай? Кофе? Или, может, воды?

— Я бы выпил кофе, — сказал писатель.

— А мне, пожалуйста, воды без газа, — попросила Злата.

— Мне тоже кофе! — заявил Егор.

Когда кофе и вода были поданы, продюсер начал:

— Денис Григорьевич, для начала хочу сказать, что просто в восторге от вашего романа! Это такая тонкая вещь, удивительно, я бы поостерегся отнести ее к жанру фантастики. Это так неожиданно... И фантастическая составляющая там не главное... И какие психологические ходы!

Злата видела, что Денис просто млеет от слов продюсера, он уже почти поплыл и может согласиться на все. Но прерывать восхваления она не считала возможным. Ладно, послушаю. А чего этот юрист так на меня пялится?

Кажется, это она, моя Мэри Поппинс... Глаза ее... А муж у нее настоящий красавец... Но явно воспринимает все хвалы всерьез, дурачина. Впрочем, я романа не читал, может, и вправду хорош? Если Мирзаян на него нацелился... Но до чего ж эти авторы падки на лесть и комплименты...

— Знаете, — вдруг прервал поток дифирамбов Денис, — все это очень приятно слышать, но как правило, при экранизации от авторского текста остаются только рожки да ножки. И примеров тому тьма!

Злата удивленно глянула на мужа. Вот не ожидала!

И тут Егор ее узнал. Да, нет сомнений, это она.

— Денис Григорьевич, уверяю вас, мы сделаем все возможное, чтобы вы остались довольны. Ставить фильм жаждет не кто-нибудь, а Рубен Мирзаян, вы наверняка знаете его фильмы.

— Да, разумеется, Мирзаян отличный режиссер, — вступила в разговор Злата, — но какие у нас гарантии, что в результате ставить будет не какой-нибудь дебютант, либо и вовсе бездарь?

— Помилуйте, с чего вы это взяли?! — воскликнул продюсер.

— С того, что я прекрасно знаю подобные случаи. Я работала в крупном издательстве, и многие авторы на это жаловались.

— Авторы всегда на что-то жалуются!

— Знаете, не хотелось бы потом сетовать на недобросовестность киношников, — опять подал голос Денис.

— Позвольте, но Рубен Мирзаян — это уже гарантия качества!

— А где гарантия, что это не пустые разговоры? Почему в таком случае господин Мирзаян не присутствует сегодня здесь?

— Потому что господин Мирзаян сейчас в Бразилии гостит у родного брата, но перед отъездом он был у меня и принес вашу книгу со словами: «Хочу это снимать...» Вот наш юрист, Егор Александрович, может подтвердить...

— Да, было дело... — неохотно подтвердил Егор, хотя понятия об этом не имел.

— Ну допустим, — сказала Злата. — А кто будет писать сценарий?

— Так, может, Денис Григорьевич сам и напишет?

— Нет, увольте, я этого не умею. Тут нужен профессионал. Но я, если дойдет до дела, хотел бы увидеть этот сценарий до того, как...

Злата видела, что продюсер пришел в раздражение.

— Вы намерены отслеживать весь творческий процесс? — недовольно спросил он.

— Знаете что, — вмешалась в разговор Злата, — давайте сделаем так: вот господин Мирзаян вернется, тогда мы встретимся и поговорим более предметно.

— Но время не терпит!

— Ну, если время не терпит, давайте просто откажемся от этой экранизации, — жестко произнесла Злата. — Мы, собственно, никуда не спешим, а все это пока вилами по воде писано, может, да, а может, нет, может, дождик, может, снег.

— То есть моим словам вы не доверяете?

— Ну, пока что, из конкретики мы услышали только фамилию Мирзаяна, но его самого нет в России, и все пока более чем расплывчато.

— Тогда, может быть, поговорим о гонораре?

— Пока это преждевременно. К тому же я знаю нынешние расценки, они не столь заманчивы, чтобы потом, если мы согласимся, а фильм провалится, не оправдываться фразой «это было предложение, от которого мы не могли отказаться». Это в случае провала.

Вот это баба, с восторгом подумал Егор. За своего красавца глотку порвет! И умна, собака...

— Ну что ж, вы, я вижу, относитесь к нашему брату, как к каким-то бандитам... — покачал головой продюсер. — Но, по крайней мере, когда Мирзаян вернется, мы уже будем разговаривать, так сказать, с открытым забралом. Может, так и лучше...

— Конечно, лучше, зато никаких иллюзий у обеих сторон! — подвела итог Злата. — Идем, Денис!

Они ушли.

— Ну, как тебе это нравится? — раздраженно спросил продюсер у Егора.

— Мне нравится, — усмехнулся тот. — Люблю умных баб. Она вас насквозь видит!

— Сука! — процедил сквозь зубы продюсер.

— Просто любит мужа. — с улыбкой пожал плечами Егор. — И отлично знает вашу кухню.

— Черт бы ее драл! Я бы к приезду Рубена уже склепал бы сценарий, он бы прошелся по нему рукой мастера и где-то к концу октября мы бы запустились. А теперь...

— Вот если бы она слышала это «склепал», уж точно послала бы тебя далеко и надолго, а самое странное, что писатель сперва поплыл от твоих комплиментов, а потом вдруг как будто проснулся... Но одно я понял точно, наблюдая за ним: он на самом деле жаждет этой экранизации, как почти все неофиты.

— Ты думаешь?

— Мне так показалось.

— Тогда шанс есть!

— Скажи, а что роман и в самом деле так хорош?

— Да очень! Просто очень!

— Дашь почитать? Мне любопытно!

— На, возьми! — продюсер достал из ящика стола довольно затрепанный экземпляр. — Только верни!

— Верну обязательно. Спасибо!

— Черт, обычно авторы по первости с восторгом соглашаются. Это потом они начинают ныть, что мы исказили их гениальные творения.

— Так ведь и впрямь искажаете, иной раз до неузнаваемости. Вот, например, моя мама… Тут сделали, правда, не у вас, а на другом канале, экранизацию одной повести маминой любимой писательницы, так, веришь, мама просто плакала. Говорила, из тихой интеллигентной истории слепили какой-то дешевый балаган, от замысла автора не осталось даже следа, хотя актеры были вроде бы первоклассные.

— Да ладно, ерунда все эти авторские капризы и амбиции, главное, рейтинги!

— А на авторов и зрителей плевать?

— В сущности, да, такое дело…

— Ладно, я пошел, своих дел по горло.

— Адвокатских?

— Ну да, прощенья просим!

— До встречи!

— Ага!

Странно, думал Егор, сидя за рулем. Она вела себя как очень жесткая и непрошибаемая особа, а глаза у нее все равно добрые. Как это может быть? Наверное, она просто очень любит мужа и блюдет его интересы. А он, по сути, слабак!

Хотя, конечно, красавчик. Такого легко сломать. Это чувствуется, есть в нем неуверенность, привык во всем полагаться на жену. Мне бы такую… Хотя я привык полагаться только на самого себя.

— Дэн, а ты молодец, не ожидала, — заметила Злата, когда они сели в машину, — мне сперва показалось, что ты уши развесил, когда этот жук начал петь тебе дифирамбы…

— А я и развесил, — засмеялся Денис, — а потом вдруг взглянул на этого юриста, у него такой скепсис на лице был написан, что меня это сразу отрезвило. А ты, кстати, заметила, как он на тебя пялился?

— Кто?

— Этот юрист!

— Нет, не заметила.

— Просто пожирал тебя глазами.

— На здоровье!

— Златка, а как тебе кажется, из этого что-то выйдет?

— Вряд ли… Есть у меня подозрение, что сам Мирзаян вообще не знает обо всем этом, что его имя просто приплели, так, для красоты, в расчете, что мы купимся, а потом нам скажут, что он заболел или передумал.

— Но этот юрист подтвердил.

— Я тебя умоляю! Короче, Дэн, мы пока забыли об этом!

— До возвращения Мирзаяна из Бразилии?

— Ну да, а то мало ли... Вдруг его там сожрут обезьяны...

— Какие обезьяны? — опешил Денис.

— Ты забыл, что в Бразилии очень много диких обезьян?

— Ах да! — рассмеялся Денис. — А еще про Бразилию я помню «Под пальмами Бразилии, от зноя утомлен, шагает дон Базилио, бразильский почтальон!»

— «А в солнечной Бразилии, Бразилии моей, такое изобилие невиданных зверей!» — подхватила Злата.

— Ага! «Только «Дон» и «Магдалина» ходят по морю туда!» А еще Пеле, кофейные плантации, футбол...

— И роскошные сериалы! — со смехом присовокупила Злата.

— С ума сошла!

— А я в детстве их обожала!

— И не стыдно?

— Да ни капельки!

Злата прекрасно знала, что такой вот пустой болтовней легко собьет Дениса с ненужных мыслей об экранизации. Они пока совсем ни к чему.

А Егору страшно понравилась эта женщина. Я просто уверен, что на самом деле она нежная, добрая, домашняя, а это все напускное. Она настоящая русская женщина, мужик у нее слабак, но она его любит и будет защищать до последней капли крови. А ее кто защитит? Этот красавчик? Вряд ли... Он, наверное, нарцисс и зациклен на себе. Небось все время говорит о «своем творчестве» и как должное воспринимает ее служение себе. Надо попробовать ее отбить... Но сперва узнать о ней побольше. О ней и о нем заодно! Можно, конечно, пошукать в Интернете, в соцсетях, но Егор не слишком доверял этим сведениям. И тут он вспомнил, что закадычная подруга его матери много лет проработала редактором как раз в том издательстве, где печатали романы Дениса Кузнецова. Все это может быть куда интереснее, нежели сведения из Интернета.

И он поехал к матери. Ему не терпелось хоть как-то приблизиться к этой прелестной женщине с таким красивым именем. Злата!!!

— Егорушка! — обрадовалась мама. — Как ты? С чего вдруг заявился среди бела дня? С работы выгнали?

— Ну, это вряд ли, мамочка! Я слишком хороший специалист. И адвокат тоже нехилый! Так что без работы не останусь, не беспокойся! Но мне нужна твоя помощь, мамочка!

— Какого рода помощь?

— Понимаешь, у меня возникло дело, касающееся одного писателя, который печатается там, где работала тетя Агнесса.

— И что за автор?

— Денис Кузнецов, — сразу ответил Егор, абсолютно уверенный в том, что мама даже не слыхала о таком.

И оказался прав.

— А что он пишет?

— Фантастику.

— А... Неинтересно. Так позвони Агнессе, в чем проблема? Думаю, она с восторгом расскажет тебе все сплетни про этого фантаста, которые знает.

— Я подумал, может, ты позвала бы ее в гости?

— Вот еще! Во-первых, мы с ней встречались позавчера, а во-вторых, мне зачем все это знать? Совершенно незачем! Больно надо! А Агнесса с удовольствием тебя примет. Звони!

— Хорошо, позвоню чуть позже. Мам, тебе ничего не надо купить?

— Ничего! Меня научили пользоваться «Утконосом». Так что живи спокойно!

— С ума сойти! А помнишь, как ты не желала пользоваться планшетом?

— Мало ли что было! А хочешь, я позвоню Агнессе и попрошу за тебя?

— Позвони, мамуля! — обрадовался Егор.

— Алло, Агнесса? Да, я! Слушай, подруга, Егору нужна твоя помощь!

— Помогу, чем могу! А что случилось?

— Я сейчас дам ему трубку, он тебе скажет.

— Алло, тетя Агнесса! Очень нужно погутарить!

— О ком-то из издательства?

— Именно!

— Они уже до криминала докатились? — не без злорадства осведомилась пожилая дама.

— Нет-нет, это другое...

— Приезжай хоть сейчас! С удовольствием расскажу, что знаю.

— Если позволите, я действительно сейчас приеду!

— Обрадовалась, старая сплетница? — с улыбкой спросила мама.

— Кажется, да! — засмеялся Егор. — Мама, какие пирожные она любит?

— Больше всего она любит торт «Медовик»!

— Понял! Ну, мамочка, если ты подружилась с «Утконосом», я могу спокойно ехать!

— Ты с Таней расстался, а другую пока не завел?

— Пока только собираюсь!

— О, Егор! Ты с тортом?

— Тетя Агнесса, не мог же я с пустыми руками. Посидим с вами, почаевничаем, и вы мне все расскажете.

— Ладно, пошли на кухню. О, торт мой любимый! Сам догадался или мамаша надоумила?

— Мамаша! — рассмеялся Егор.

Агнесса Аркадьевна принялась заваривать чай.

— Ну, и что за персона тебя интересует?

— Некий Денис Кузнецов.

— Честно сказать, я его почти не знаю, зато прекрасно знаю его жену.

— А она что собой представляет?

— Очень неглупая, довольно красивая, дельная. Она этого Кузнецова к нам и привела. И он как-то сразу пошел в гору. И через годик на Златке женился. Они красивая пара. У нас все девчонки на него заглядывались. Он больше похож на артиста, чем на писателя. А ты почему им интересуешься?

— Да тут в одной киноструктуре собираются экранизировать его роман, а я у них юрисконсультом подвизаюсь, так хотелось бы знать, с кем придется дело иметь. Тем более, говорят, что его жена еще и его агент.

— Да, Златка ушла из издательства. Там такая некрасивая история вышла...

— Какая? — полюбопытствовал Егор.

— Да на нее глаз положил один из дирекции, она не реагировала, и он начал ее гнобить... Но его хватил инфаркт, и ему уж стало не до шашней. Она хорошая девка, и толковая, редактор классный, жалко, что ушла. А ты ее видел?

— Пока нет, ни его, ни ее.

— А вот тут я на днях встречалась со своей бывшей коллегой, так она мне такую историю рассказала...

— О Кузнецовых?

— Да, только Златка не Кузнецова. Она Остужева.

— И что за история?

— Просто как в ток-шоу Малахова!

— Господи помилуй! — воскликнул Егор, сгорая от любопытства и всеми силами пытаясь не выдать себя, что, впрочем, ему вполне удалось, он был опытным адвокатом.

— Вдруг выяснилось, что у отца Кузнецова, а он крупный физик, есть незаконная дочь. В каком-то провинциальном городе, девочка двенадцати лет.

— А у него жена есть?

— Овдовел несколько лет назад. А мама той девочки вдруг померла и ребенок остался один. Папаша перетрусил, позвонил Златке, покаялся, и они с Денисом помчались в этот город и забрали девочку к себе.

— Благородно, однако! — заметил Егор.

— И, говорят, девочка очень привязалась к Злате.

— Нет, тетя Агнесса, для Малахова тут нет интриги, — засмеялся Егор.

— Пожалуй, ты прав!

— Выходит, эта Злата вовсе не акула, как о ней говорят?

— Да какая там акула! Смешно просто! Да, она очень умело защищает права своего мужа. Она умеет быть жесткой с прохиндеями, насквозь их видит, но в сущности добрейшей души девушка.

— А дети у них с Кузнецовым есть?

— Чего нет, того нет, а почему, я не в курсе. Что еще тебя интересует?

— У Кузнецова большие тиражи?

— По нынешним временам, да, очень. Он, что называется, топовый автор.

— И соответственно, гонорары?

— Ну, я точных цифр не знаю, это коммерческая тайна. А почему ты спрашиваешь?

— Чтобы понять его аппетиты, мы же хотим купить у него права на один роман.

— А, понятно! Думаю, особо завышать требования не будет. Я знаю, что они снимают дом за городом, на собственный пока, видно, пороху не хватает.

— Ну что ж, тетя Агнесса, я вам страшно признателен!

— Да за что? Я ж почти ничего не знаю.

— А мне довольно, чтобы составить себе предварительное впечатление, исходя из которого мы и будем действовать.

— Только знаешь что, ты при случае не говори Златке, что знаешь меня. Лишнее это.

— Будьте уверены, я умею держать язык за зубами.

Время шло, приближалась осень, о режиссере Мирзаяне, как, впрочем, и о киношниках, встречавшихся с Денисом, не было ни слуху ни духу. Злата видела, что он расстроен, но делала вид, что ничего не замечает. Денис между тем закончил новый роман. Злата прочла его как редактор, сделала немало замечаний, большинство из которых Денис принял с благодарностью. Злата отвезла флэшку и распечатку в издательство. Там она совещалась с руководством редакции по вопросам продвижения романа, подписывала что-то, забрала целую кучу бумаг на подпись автору, пообщалась с бывшими коллегами. Пошла выпить кофе с приятельницей, которую давно не видела.

— Златка, почему ты не хочешь представлять интересы еще кого-то?

— Да я с дорогой душой, но Денис мне запретил. Ревнует.

— А если автор женщина?

— Дело не в половой принадлежности, — засмеялась Злата. — Это ревность авторская.

— Обалдеть!

— И тем не менее.

— Глупо вообще-то...

— Согласна, но не скандалить же мне с мужем по этому поводу.

— Тоже верно.

Приятельницы еще посплетничали об издательских новостях, и Злата ушла.

Уже сев в машину, она подумала: надо же, я уже скучаю по Ваське! Она как-то здорово скрасила нашу жизнь. С ней легко и она явно тянется ко мне. Это так приятно! А Григорий Романович совершенно не умеет с ней. Звонит иногда по скайпу, пытается как-то общаться с дочкой, но у него это плохо получается. И Ваське с ним тяжело. Как правильно, что она пойдет в школу у нас. И она как-то вдруг повзрослела и даже похорошела, несмотря на поганый для девочек возраст. Надо свозить ее к Магде, моей парикмахерше, пусть сделает Ваське модную стрижку, чего она с косичками ходит.

Когда Злата подъехала к воротам, то сразу услышала:

— Денис! Злата приехала! — крикнула Васька.

И буквально через минуту на крыльцо выбежал Денис. У него явно какие-то новости, причем хорошие, сразу определила она.

— Что тут у вас?

— Златка, новости просто зашибись!

— Мирзаян что ли прорезался?

— Да нет, — досадливо поморщился Денис. — Подымай выше! «Холод» хотят издать в Испании! Приглашают приехать на неделю в Барселону, в первых числах сентября.

— Ну поедем, здорово! — обрадовалась Злата.

— И знаешь, какая у меня идея?

— Ну?

— Давай поедем пораньше, захватим еще недельку и возьмем с собой Ваську!

— Слушай, роскошная идея!

— Я все обдумал! Мы побудем недельку втроем, а потом я с Васькой вернусь, а ты останешься на переговоры. Все равно на переговорах от меня толку чуть.

— Посмотрим! Надо немедленно сделать Ваське заграничный паспорт.

— Это не проблема.

— Но сейчас самый сезон.

— Ничего, я знаю одну женщину, которая поможет все ускорить, и паспорт и визу. Я с ней в школе учился.

— Тогда займись этим завтра с утра, а я попробую выяснить, что с билетами, и попытаюсь заказать отель, но не в Барселоне, а где-нибудь за городом, у моря.

— Так в Барселоне же есть море!

— Да ну, там народу прорва, хочется побыть в тишине и покое недельку, а потом уж переберемся в Барселону, издатели наверняка предоставят гостиницу. Кстати, покажи мне, что они пишут.

Они поднялись в кабинет Дениса. Злата принялась изучать поступившее приглашение. Да, приглашающая сторона бронирует им четырехзвездочный отель в Барселоне на три дня. И, разумеется, оплачивает дорогу писателю и его агенту.

...За ужином Денис объявил:

— Вася, завтра с утра поедем с тобой в город.

Тон у него при этом был в высшей степени таинственный.

— Зачем?

— Будем делать тебе загранпаспорт.

— Загранпаспорт? Зачем?

— Да вот недельки через три махнем с тобой в Испанию!

— В Испанию? — испугалась Василиса. — Зачем в Испанию?

Злата мигом смекнула, чего испугалась девочка. Встречи с отцом. Господи!

— Вася, нас с Денисом зовут в Барселону, по делам, хотят купить его роман «Холод», и мы решили взять тебя с собой, поживем недельку у моря, будем купаться, там очень красиво, я один раз отдыхала в тех краях. Там идешь по набережной, а на деревьях иной раз попугаи сидят...

— Дикие? — уточнила Вася.

— Конечно. А какая там рыба... И вообще... — мечтательно проговорила Злата. — А папа твой, он в других краях сейчас.

Василиса с облегчением перевела дух.

Злату безмерно обрадовала перспектива такой поездки.

...А Егор маялся. В свободное от работы время он неизменно возвращался мыслями к Злате. Ему безумно хотелось ее видеть. У него теперь был ее телефон, но с какой стати он вдруг станет ей звонить? Ни малейшего предлога. Не изрежь Татьяна зонтик, был бы предлог, а так...

Ему понадобилось по делам одного клиента поехать на день в Петербург. Он обрадовался. Очень любил этот город. И мотался туда при первой же возможности. Через недельку предстоял день рождения мамы, вот и хорошо, в Москве вечно некогда, а в Питере у меня дел максимум на два-три часа, успею купить что-то в подарок.

И действительно, покончив с делами, он решил заглянуть в торговый центр «Адмирал», который был совсем рядом. И растерялся. Что же подарить маме? Она терпеть не может нужные в хозяйстве подарки. И вдруг на глаза ему попался туалетный прибор из зеленоватого оникса. Тарелочка, коробочка, пирамидка для колец и подсвечник.

Это было красиво, изящно. Мама частенько засиживается у своего трюмо карельской березы, ей понравится. Прибор стоил очень недешево, но мама заслуживает такого подарка. Егор очень любил маму.

— Только, прошу вас, упакуйте покрасивее, это подарок для мамы, — улыбнулся он немолодой продавщице.

— Ну конечно, молодой человек. Касса в соседнем отделе. Сейчас направо и еще раз направо!

Егор пошел в указанном направлении и чуть не вскрикнул: на глаза ему попался зонт! Точно такой же, как тот, искромсанный. Голубой в розовых цветах! Не может быть! Хотя почему? Вот он, висит, раскрытый, во всей красе! Это мне бог послал за то, что я купил маме хороший подарок!

Он тут же купил зонт. Восторг! Завтра же позвоню Злате!

Часов в одиннадцать утра у Златы зазвонил телефон. Номер был незнакомый.

— Злата, это вы?

— Да, я.

— Злата, говорит Егор Чарушин, адвокат. Помните, мы встречались...

— Да, да, помню, — обрадовалась Злата, решившая, что речь пойдет об экранизации.

— Видите ли, Злата, я хочу вернуть вам одну вещь.

— Вернуть? Вещь? Ничего не понимаю! Это не касается экранизации?

— Увы, нет. Там пока все глухо.

— Тогда я просто не понимаю.

— Давайте встретимся где-то, я верну вам... и мы сможем поговорить, и по поводу экранизации тоже. Я не отниму у вас много времени, максимум минут сорок.

— Ну, хорошо. Я буду сегодня в городе, давайте встретимся, если это уж так необходимо. Где?

— А где вы будете, в каком районе?

— В районе Трубной площади.

— Отлично! Давайте в час дня в галерее на Неглинной. В «Кофемании». Пойдет?

— Да, там чудесный кофе. Договорились.

Она согласилась! И даже не стала допытываться, что именно я намерен ей вернуть. Ее куда больше интересует история с экранизацией. Придется разводить турусы на колесах.

И что ему от меня нужно, этому юристу? Денис, помнится, говорил, что он как-то особенно на меня смотрел... Да ну, ерунда. И что он хочет мне вернуть? Или он такой супернаглец, решил выманить меня на свидание? Очень интересно! А может, взять с собой Ваську? Да ну, нет, мало ли что там за история... И Денису вовсе не нужно знать об этой встрече. Даже интересно... Но марафет навести все-таки следует.

— Дэн, мне нужно в город на два-три часа.

— А что там?

— Да необходимо прояснить насчет сайта, согласовать проморолик.

— А я не нужен?

— Нет, если приемлемо, я тебе все покажу.

— Ну что ж, поезжай! Васька в восторге от предстоящей поездки. Как узнала, что не надо встречаться с папочкой, просто расцвела. Родитель, тоже мне!

Злата заехала в свою квартиру, взяла квитанции, оставила машину во дворе и вызвала такси на Неглинную. День был довольно жаркий, и она надела легкое платье из ткани, похожей на плащевку, но прекрасно пропускающей воздух. Это очень элегантное голубое платье она тоже купила в Берлине, в магазине любимой фирмы «Кос». Платье очень ей шло.

...Егор поднялся ей навстречу.

— Добрый день, Злата! Страшно рад вас видеть!

Он отодвинул ей стул. Она села, вопросительно глядя на него.

— Вы Егор, я не ошибаюсь?

— Нет, не ошибаетесь.

— Егор, я ничего не понимаю...

— Вот, возьмите!

И он вытащил из пакета пресловутый зонтик.

— Мама дорогая! — рассмеялась она. — Это были вы?

— Я! А вы меня не узнали.

— С ума сойти! Но позвольте, это другой зонт! Тот был вдвое легче и цветочки немного другие...

— Понимаете, моя бывшая девушка обнаружила тот зонт в моей машине и изодрала его в клочки.

— Какие страсти из-за зонтика! Вы сказали, бывшая... Она стала бывшей из-за зонтика?

— Нет, просто это оказалось последней каплей. Злата, вы часто раздаете зонтики незнакомцам?

— Нет, — рассмеялась Злата, — первый раз.

— Тогда почему вы это сделали?

— Вы, вероятно, ждете, что я скажу, потому что вы мне понравились?

— Не смею так даже думать, тем паче, что вы меня не узнали.

— А вы меня запомнили.

— Да. Я частенько вас вспоминал. Вы мне понравились, Злата, чего скрывать, просто очень понравились.

— И где вы отрыли еще один зонтик с такой отвратной расцветкой?

— В питерском магазине «Адмирал».

— И решили, что это отличный предлог?

— Вы не только красивая, добрая женщина, вы еще и умная. Подобное сочетание всех этих качеств встречается довольно редко.

— А про меня нередко говорят, что я чуть ли не акула...

— Они ничего про вас не понимают.

— Все это очень мило, но что все-таки с вашими коллегами-киношниками?

— Киношники мне не коллеги. Я юрист. И если вам вдруг понадобится юридическая помощь, обращайтесь.

— Скажите, Егор, вот мы вели какие-то странные переговоры, это что, туфта?

— Боюсь, что да. Они частенько сталкиваются с лохами-неофитами, а тут... Если честно, по моим наблюдениям ваш муж...

— Тоже лох-неофит, да?

— Да. А вот ваш подход их насторожил, чтобы не сказать напугал. Не любят они таких заморочек.

— И с Мирзаяном тоже туфта?

Егор замялся.

— Говорите, я никому не передам.

— Да, чистой воды туфта. Я случайно встретился с Рубеном в доме кино и спросил: «Рубик, ты действительно хотел ставить роман Кузнецова?» А он глаза вытаращил: «Какого Кузнецова?»

— Понятно. Но вы же там подтвердили?

— Ноблесс оближ! — пожал плечами Егор. — Не сердитесь, Злата, и не огорчайтесь.

— Да я-то не огорчаюсь, я, если хотите знать, даже рада. Но вот муж очень огорчен.

— Ничего, будет и на его улице праздник.

— Поглядим.

— А вы правы, тут действительно вкусный кофе. Хотите еще чашку?

— Пожалуй! — сама не зная почему согласилась Злата. Ей нравился этот человек.

— Скажите, Злата, вероятно, умной женщине трудно в этой жизни?

— Трудно, но что ж делать? Не сдуреть же мне.

— Ну, нарочно ведь не сдуреешь. Разве что от любви.

— От любви можно не сдуреть, а одуреть, есть разница? — улыбнулась Злата.

— А вы одурели когда-то от любви к Кузнецову?

— Было дело, — улыбнулась Злата.

— Ну еще бы, он же красавчик...

— Нет, он не красавчик, он красивый мужчина, есть разница?

— О, а вы наверняка были отличным и очень строгим редактором. Почему бросили это дело? Из-за мужа?

— Да нет, я бы справилась, но в издательстве создалась невыносимая атмосфера. Стали выстраивать авторскую иерархию, ориентируясь на собственные вкусы, а вкусы у них сомнительные...

— То есть назначали кого-то главным автором? — засмеялся Егор.

— Именно! А другие стали обижаться. Надо было как-то разруливать это все, и я ушла.

У Егора зазвонил телефон. Он глянул на дисплей, поморщился, но ответил. Потом извинился, встал и отошел, куда, Злата не заметила. Ей принесли вторую чашку кофе. И чего он так долго? — с досадой подумала она. Ей вдруг стало его не хватать. Он интересный. Красавцем не назовешь, но на это лицо хочется смотреть. Руки хорошие. И изумительный парфюм. Словом, мужик что надо... Но мне разве надо? Совершенно не надо! У меня муж, любимый муж, Васька вот теперь, налаженный быт... Однако приятно чувствовать, что ты нравишься такому мужчине, очень приятно. Давно не испытанное ощущение. Денис — это привычно уже...

— Ради бога, простите, Злата! — Егор сел на свое место.

А она вдруг жутко обрадовалась. Дура!

— Что-то неприятное? — спросила она.

— Да нет, рабочие моменты. Неприятно было покинуть вас на целых... семь минут.

— Вы засекли время? — крайне удивилась и снова обрадовалась Злата.

— Привычка! Я же когда-то работал следователем, а в этой работе любая мелочь важна.

Он ждал, что она воскликнет: «Ох, как интересно!» И все в таком роде, но она только заметила:

— Вы, вероятно, были хорошим следователем.

— Почему вы так решили?

— Я, конечно, знакома с этой профессией в основном по кино, но такое внимание к мелочам, — вдруг смутилась она.

— Ну, адвокату тоже необходимо обращать внимание на любые мелочи.

— А вы цивилист?

— Сейчас да. Но раньше занимался и уголовными делами.

— Жаль!

— Почему? — крайне удивился Егор.

— Потому что если вдруг я угрохаю кого-нибудь в издательстве, вы мне не поможете?

— О! Ради вас я готов вернуться к уголовным делам!

— Вы очень любезны!

И вдруг они оба начали хохотать.

Как хорошо он смеется!

Какая же она прелесть!

Отсмеявшись, Егор вдруг поцеловал ей руку и тихонько спросил:

— Злата, а мы сможем еще увидеться? Только не спрашивайте, зачем. Я и сам не знаю.

— А я бы не стала спрашивать. Почему бы и нет?

Он просиял.

— И еще... Если вдруг вам понадобится какая-то помощь, любая, не юридическая, обращайтесь! Вот, возьмите мою визитку и не стесняйтесь бога ради! И я буду иногда вам звонить, хорошо?

— Хорошо.

— Вы на машине?

— Нет. На такси. Я машину дома оставила.

— Может, вас куда-то подвезти?

— Нет, спасибо, я загляну тут в магазины.

— Ну, как угодно даме. Спасибо вам, Злата, вы удивительная.

И с этими словами он ушел.

А Злата не пошла в магазин. Ей просто хотелось остаться одной и собраться с мыслями. Она задумчиво пила уже остывший кофе. От встречи осталось на редкость приятное послевкусие. Надо же какой... Ни капли наглости, а ведь я ему явно нравлюсь, а может даже он влюбился в меня... Она достала из сумки зеркальце, взглянула на себя. Как все-таки женщине нужно мужское внимание. Хотя Дениса никак не назовешь невнимательным мужем. Но мы женаты уже семь лет, что-то, вероятно, притупилось уже. И потом, он нуждается во мне, а Егор... Он как тот кот, гуляет сам по себе. А может, уже нагулялся? Да, но я-то замужняя женщина! И бросать мужа не собираюсь. И изменять ему у меня нет ни малейших оснований. Она прислушалась к себе. Да и желания такого нет. Однако сознавать, что есть на свете человек, к которому можно обратиться в трудную минуту, очень важно, и вдруг возникло неприятное ощущение, что эти трудные минуты не заставят себя ждать. Да ну, ерунда! Нельзя себя на это настраивать. У меня сейчас все прекрасно, вот и буду радоваться.

Васька вдруг спросила:

— Златочка, а ты не забыла, что хотела меня подстричь?

— Ох, и вправду забыла! Извини, Вася! Я сейчас же позвоню Магде и договорюсь.

— И еще... если можно, не надо говорить... Григорию Романовичу, что мы едем в Испанию. Пожалуйста!

— Хорошо. Не скажу. Но Дениса ты предупредила?

— Нет. Мне неудобно.

— Хочешь, чтобы я его предупредила?

— Да, Златочка, пожалуйста!

— Хорошо, сделаю.

— Ты такая...

— Какая? — улыбнулась Злата.

— Понимающая. Меня никто никогда не понимал так, как ты.

— Да ладно...

— Я знаю, нельзя так говорить... Но мне у вас по-настоящему хорошо. Я даже не думала, что так бывает...

И Василиса ткнулась носом Злате в плечо.

У Златы сжалось сердце. Василиса почти никогда не говорила о матери. Она ласково потрепала девочку по волосам.

— Ну-ну, все плохое уже в прошлом. А у тебя в Воронеже подружек не осталось? Или мальчика?

— Нет, не осталось, — вдруг жестко произнесла Василиса. — Я вообще не хочу вспоминать Воронеж.

— Не хочешь, не будем.

Вечером в спальне Злата сказала мужу:

— Дэн, если вдруг будешь общаться с Григорием Романовичем, не говори ему, что мы едем в Испанию, ладно?

— Васька попросила? — засмеялся Денис.

— Ну да.

— Поздно, я уже ему сказал.

— И что?

— А он испугался почище Васьки. Забормотал что-то, потом сказал, что будет страшно занят, одним словом, у папы с дочкой что-то не клеится. И он совершенно не горит желанием видеться с нею там.

— Как странно…

— Да что тут странного? У него уже возраст солидный, чувство вины его угнетает, а ему это не нравится, только и всего. Все вполне естественно.

— Ну не знаю, мне кажется, это как раз противоестественно.

— Теоретически — да, а вот практически… Сама видишь. И хорошо еще, что Васька тоже не хочет с ним как-то сближаться.

— Но она же ребенок!

— Она ребенок, а он старый греховодник, которому вовсе не хочется замаливать свои грехи.

— Похоже на то.

...По зрелом размышлении Егор пришел к выводу, что влюбился. Надо же, как в кино. Девушка с зонтиком! Я ее запомнил, а она меня нет. И с ней так приятно говорить на любые темы! Ни капли жеманства... И как ей идет голубое платье. Но главное — она умная! Но не умничает, не цитирует каких-то заумных классиков... Да ерунда все это! Она просто очень, ну просто очень привлекательная женщина, красивая и желанная... Вот на такой бы я женился не раздумывая! С такой можно прожить всю жизнь, и не надоест. Я как в том анекдоте: «съесть-то он съест, да кто ж ему даст». Она замужем, видимо, любит мужа, вон как оскорбилась, когда я назвал его красавчиком... Ну и что? А я тоже, между прочим, не лыком шит! И бабы на меня здорово западают. Вот именно что бабы! А она не баба, моя Злата! Да не моя, не моя... Глупости, все равно все будет так, как предначертано, я в это верю. А счастливые браки разваливаются еще чаще, чем несчастливые. В счастливом браке легче рушатся иллюзии, их там до фига, иллюзий, мне ли, человеку с таким опытом, этого не знать. Вот она предана мужу, любит его, а он возьмет и сбляднет, так, между делом, не придавая этому факту никакого значения. И зря! В наше время так легко проколоться, вот захочет какая-нибудь девка отбить его: еще бы, красавчик — ах, простите, Злата, красавец-мужчина, — молодой, известный писатель... Лакомый кусочек! Сейчас можно послать жене какую-нибудь пикантную картинку — и готово дело! Ох, Егор, брось! Не надо рассчитывать на человеческую слабость и подлость. Как будет, так будет! Занимайся-ка ты своими делами, а то размечтался, идиот!

Злата повезла Василису в город, стричься.

— Златочка, ты предупредила Дениса? — спросила она в машине.

— Конечно, я же обещала.

— И как он отнесся?

— Совершенно спокойно. Он все понял.

— Спасибо тебе! — просияла девочка. — Скажи, у тебя что-то хорошее случилось?

— Ты о чем?

— Ты вчера приехала какая-то... другая...

— Другая?

— Да! Ты так улыбалась...

Господи, до чего приметливый ребенок!

— Да нет, ничего особенного, тебе показалось!

— Ладно, будем считать, что показалось! — пожала плечами Василиса.

— Так и вправду ничего не случилось!

Когда Василиса увидела себя в зеркале с новой прической, ее сердце наполнилось восторгом.

— Ох, Вася, да ты просто красотка! — воскликнула Злата. — Глаз не оторвать!

Василиса только счастливо улыбалась.

— Все мальчишки в школе будут твои! — сказала парикмахерша Магда.

— Больно нужно! — фыркнула Василиса.

А Злата с Магдой понимающе переглянулись и засмеялись.

— Спасибо, Златочка!

Василиса благодарно сжала руку Златы.

— Да на здоровье! Ну, пойдем мороженого поедим?

— Давай!

Они сидели в кафе, ели мороженое, и вдруг Василиса сказала с задумчивым видом:

— Как все странно в жизни... Я много про это думала. Вот случилась беда, трагедия... погибла мама, единственный родной человек... Кажется, ужас... не пережить... страшно... И вдруг в один миг все меняется, вся твоя жизнь... И ты понимаешь... прошло еще мало времени... и даже это, наверное, неприлично, стыдно, но мне хорошо... легко... Понимаешь, мама... она, конечно, была родная... Но совсем не близкая, а ты... ты очень близкая... Только не думай, что я это из-за стрижки, или из-за шмоток... — у Василисы на глазах выступили слезы. — ...Погоди, не говори ничего... главное, тебе до меня есть дело... А маме... ей не было дела...

Злата хотела что-то возразить, но Василиса с мольбой на нее взглянула.

— Знаешь, у нее... у мамы... был какой-то мужчина... Тоже не воронежский... Вот из-за него она сходила с ума... и, я думаю, если бы он, к примеру, на ней женился, она была бы другой... Ты прости, что я все это на тебя вывалила... короче, у вас я не чувствую себя одинокой, вот!

— Тебе совершенно не за что извиняться! И это прекрасно, что ты мне все это сказала, сбросила какой-то груз, да?

— Да! Мне каждый день... было стыдно! Я просыпаюсь и чувствую себя счастливой, но вспоминаю, что у меня недавно умерла мама, и мне становится стыдно... Скажи, это все звучит... неприлично, да?

— Нет! Но я рада, что ты испытываешь это чувство стыда. Это значит, что ты хороший человек, Васька! Совестливый. И все же я скажу: не мучайся больше, живи, как живется, радуйся! Пройдет время, и пройдут все обиды на маму, забудется все плохое, и ты будешь вспоминать ее с любовью и теплом.

— Ты правда так думаешь?

— Конечно! И если тебя еще что-то будет мучить, говори мне, мы это обсудим, разберемся. Обещаешь?

— Обещаю, золовка! — улыбнулась Василиса.

Злата с облегчением засмеялась. Ей нелегко дался этот разговор.

Внезапно к их столику подошла молодая женщина, одетая в модные драные джинсы и серую холщовую рубашку. Светлые волосы красиво струились по худеньким плечам.

— Златка? Это ты?

Злата взглянула на нее с недоумением.

— Не узнаешь?

— Господи! Алина!

— Я!

Женщины обнялись.

— А я смотрю, Златка, не Златка? Ты шикарно выглядишь! А это дочка твоя?

— Да. Дочка! — ответила Злата, которой вовсе не хотелось посвящать бывшую одноклассницу в перипетии своей жизни, и краем глаза она заметила, как просияла Василиса. И молча кивнула Злате, правильно, мол.

— Ты тут какими судьбами? — спросила Злата. — Говорили, ты уехала куда-то в Европу?

— Да, было дело, но вернулась...

Алина подозвала официантку и заказала кофе.

— А мороженого не хочешь? Здесь очень вкусное!

— Нет, не хочу! Ну как ты, Златка? С виду у тебя все тип-топ... Надо же, сколько лет не виделись, не знала, что у тебя такая большая дочка... А муж кто?

— Писатель.

— Да? И что, известный?

— Да, довольно известный.

— И что пишет?

— Фантастику.

— Ох, не люблю, — поморщилась Алина.

— Ну а ты? Замужем? Дети есть?

— Замужем два раза была, больше не хочу! А детей тоже не хочу, я чайлд-фри.

— Работаешь?

— Тружусь. В модельном бизнесе.

— Да, ты ж еще в школе мечтала…

— Я мечтала быть супермоделью, а не трудиться в модельном бизнесе, — с усмешкой проговорила Алина. — Но ростом не вышла… Ну ничего, я зато суперфотограф, и теперь я понимаю, хорошо понимаю, насколько эта профессия лучше. Насмотрелась на жизнь моделей, чистая каторга…

— Слушай, Алинка, ты могла бы сделать фотосессию для моего мужа? Ему позарез нужны хорошие фотографии.

— Ну, в принципе, могла бы… А снимки нужны для чего?

— Для издательства. На обложку новой книги, для всякой рекламы, для плакатов…

— Понятно. Что ж, можно… А издательство не очень жлобское?

— Вообще-то очень, — рассмеялась Злата, — но, думаю, на этот расход для популярного автора они пойдут. Ты предоставь примерную смету, а я поговорю, поторгуюсь...

— Почему ты?

— А я агент своего мужа. Веду все его дела.

— Круто! Мне придется снять студию. Своей не обзавелась пока.

— Договоримся.

— А у тебя есть его фотка, надо ж взглянуть, с чем придется иметь дело.

Злата молча протянула ей свой телефон.

— Ух ты! Красивый! Такого снимать приятно будет... Вот как все интересно в жизни, у меня давление низкое, зашла кофе глотнуть в первую попавшуюся дырку — и вот, встретила одноклассницу и заказ надыбала, — засмеялась Алина. — Здорово! Вот тебе моя визитка, ты когда планируешь переговорить с издательством?

— В самое ближайшее время! Мы в двадцатых числах уезжаем, хотелось бы до тех пор уже сняться... А сколько времени это займет?

— Я в таких случаях снимаю студию на четыре часа.

— Ого!

— Ну, грим же нужен, конечно, для мужика минимальный, но все же...

— Ой, боюсь на грим он не согласится.

— Объясни ему, что грим ни одна собака не заметит, а результат будет просто убойный. Такого красавца из него сделаем, что хоть в Голливуд!

— Ладно, попробую!

— Ну все, девчонки, мне пора! Значит, я жду твоего звонка!

— Я позвоню в любом случае!

Алина ушла.

— А почему ты сказала, что я твоя дочь?

— Сама не знаю, — как-то беспомощно улыбнулась Злата. — Но тебе же, по-моему, понравилось?

— Мне-то понравилось, но как теперь быть с этой Алиной? Не предупреждать же Дениса? Как-то глупо...

— Ладно, я когда буду ей звонить, все объясню. Да вот, соврешь нехотя, а потом начинается. — подмигнула она Василисе.

— Да, лучше поменьше врать, — вздохнула та.

— ...Матерь Божья! — воскликнул Денис при виде преображенной Василисы. — Это что за красотку мне привезли?

— Это твоя сестренка, не узнал?

— Сестренка? Моя? Да ничего подобного... Васька, это ты? Подай голос!

— Я, я, братишка!

— Златка, годика через три хлебнем с этой особой, у нас тут табуны парней ходить будут, придется купить бейсбольную биту, чтобы их шугать!

Злата решила пока не говорить мужу о предполагаемой фотосессии. Алина между тем прислала ей несколько фотографий, сделанных на пленэре. Они очень впечатлили Злату. Но она решила сперва переговорить с издателями. К ее вящему удивлению, они очень быстро согласились. Начальница пиар-отдела просто пришла в восторг, увидев снимки Алины.

— Злата, это то, что надо! С хорошей фотографией на обложке книги просто улетать будут! Скажи, а эта женщина, она согласится снять кого-то еще для нас?

— Не знаю, но думаю, если не станете жмотничать, согласится!

— Мы тут посмотрели ее смету, вполне приемлемо.

— А кого еще вы предполагаете снять?

— Ну, прежде всего Осеневу, она вдвое похудела, так что...

— И я могу сказать фотографу, что два заказа ей обеспечены?

— Можешь, можешь!

— Отлично!

Злата позвонила Алине и передала ей разговор с начальством.

— Здорово! Только есть одна загвоздка...

— Какая?

— Это надо будет сделать в самое ближайшее время. А то я с показом нашего модного дома вынуждена буду уехать самое меньшее на полтора-два месяца.

— Понимаешь, я думаю, Осенева потерпит, а вот у Дениса в октябре выйдет новая книга, нужно скорее... Когда ты уезжаешь?

— Второго сентября.

— Отлично, а мы-то еще раньше уедем.

— Тогда давай в воскресенье, годится?

— Думаю, да. Но я сейчас предупрежу мужа и сразу тебе перезвоню.

Злата взбежала на второй этаж

— Денис!

— Что-то случилось? — оторвался он от компьютера.

— Да! В воскресенье у тебя фотосессия!

— Какая, к чертям, фотосессия? Зачем?

Злата растолковала ему, для чего это нужно.

— Кошмар! Сколько времени это займет? Можно, наверное, просто сделать один снимок — и дело с концом. Это какая-то бабская затея — фотосессия!

— Ерунда! Всем топовым авторам делают фотосессию.

— Ты так считаешь?

— Безусловно!

— Ну ладно... А ты со мной поедешь? Кстати, где это территориально?

— Где-то на Новослободской. Да не все ли равно?

— И что, на новой книге будет новая фотография?

— Да! Новая и прекрасная! Все бабы, зайдя в книжный магазин, купят твою книгу только из-за фотки. Фантастику ведь читают в основном мужики, а главный читатель у нас все-таки бабы.

— Ох, и повезло же мне с женой!

— Да, мужик, повезло тебе, ничего не скажешь! — засмеялась Злата.

— Златочка, а можно мне тоже поехать на эту фотосессию? Мне интересно! — спросила за завтраком Василиса.

— Конечно, можно, что за вопрос! — воскликнула Злата. — Кстати, сделаем и твой портрет, и общесемейный! Пригодится.

— Денис, а ты не возражаешь? — поинтересовалась Василиса.

— С какой стати мне возражать? — искренне удивился Денис. — Ты с этой стрижкой достойна самого лучшего фотографа! Я горжусь своей сестренкой!

— А меня тоже будут гримировать?

— Чего не знаю, того не знаю, — ответила Злата, — но все-таки, думаю, будут, а впрочем... Тебе хочется, чтоб тебя загримировали?

— Конечно, ей хочется, разве не понятно? — засмеялся Денис. — Вы же, бабы, обожаете размалевывать рожи...

...Студия, арендованная Алиной, представляла собой очень большую комнату с белыми стенами, белыми книжными полками, белым искусственным камином и искусственными растениями в больших горшках, напольными и настольными вазами, полными искусственных цветов. В правом углу у окна стоял туалетный столик с большим трехстворчатым зеркалом, вокруг которого было много электрических лампочек. Еще в студии стояло несколько разных по цвету и стилю кресел.

— Как тут красиво! — ахнула Василиса.

— И как интересно!

Алины пока не было. Но, тем не менее, их пустили, после того как Злата показала паспорта, свой и Дениса.

Вскоре появилась девушка с серебристым чемоданчиком. Визажистка. Худенькая, модно одетая, с очень красивым, каким-то восточным лицом.

— Здравствуйте! Я Динара! Кто у нас главный герой?

— Да вроде бы я, — улыбнулся Денис, — но мою жену и сестренку тоже будут снимать.

Динара окинула придирчивым взглядом Злату и Василису.

— Ну, вас мы просто припудрим. А вы, мужчина, садитесь сюда, вами надо заняться.

Денис подчинился, впрочем, иронично усмехнувшись.

Динара довольно долго смотрела на него в зеркале, потом открыла свой чемоданчик, достала оттуда какие-то футляры и коробочки, взяла в руки маленькую щеточку и принялась причесывать Денису брови.

— Зачем это? — спросил он.

— Нужно! Ой, девушки, вы не могли бы сходить вниз, за кофе, я сегодня не успела…

— Ох, правда, девчонки, и мне принесите, тут есть капучино?

— Все есть, — заверила его Динара. — А мне кофе латте с миндальным молоком. А для Алины захватите американо.

— Я тоже хочу с миндальным молоком, — заявила Злата. — Пошли, Вася, я одна не дотащу!

Они отсутствовали минут десять, а когда вернулись, в студии уже хозяйничала Алина.

— О, привет, девочки! А мне кофе захватили?

— Вот! — протянула ей большой картонный стакан Василиса.

— Спасибо! — кивнула Алина, отпила глоток и принялась передвигать кресла и горшки с искусственными растениями.

Динара вытащила из чемоданчика кошелек и протянула Злате деньги за кофе.

— Бросьте, Динара, я еще не признаю равноправия женщин! Я привык сам платить за них! И не возражайте! — заявил Денис.

— Ну что ж, спасибо! — пожала плечами девушка и спрятала деньги.

А потом Динара припудрила Злату с Василисой и ушла, помахивая своим довольно тяжелым чемоданчиком.

Алина усаживала Дениса то в одно кресло, то в другое, то велела ему встать возле камина, то возле столика, где стопкой были сложены его книги. Злата и Василиса, примостившись на широком подоконнике, с интересом наблюдали за священнодействием Алины.

— Как интересно! — шептала Василиса. — А можно будет посмотреть, что получится? Прямо в аппарате?

— Не знаю, спросим.

А Злата любовалась мужем. Красивый, но это не главное! Куда важнее то, что он не утратил самоиронии. И эта самоирония сквозит в каждой его позе, в каждой улыбке, в каждом повороте головы. Женщины в такой ситуации вряд ли способны на самоиронию, им слишком важно, как они выглядят, хотя, вероятно, есть исключения.

Под конец Алина сделала несколько снимков Василисы и всей семьи.

— Дня через три-четыре я вам скину все на телефон!

— Спасибо, только умоляю, не злоупотребляйте фотошопом, — взмолился Денис.

— Останетесь довольны, имеете дело с мастером.

— А что если нам всем сейчас поехать куда-то пообедать? — предложил Денис.

— Спасибо, конечно, но у меня времени совсем нет! — ответила Алина.

— Жаль! Ну что ж делать, тогда поехали, девчонки?

— Обедать? — уточнила Василиса. Она обожала ходить в рестораны и кафе.

— Ну да, раз уж мы в городе.

За обедом Денис был очень оживлен и весел.

— Вот когда у меня будет следующее интервью, я потребую, чтобы непременно опубликовали нашу с Васькой фотку. Ту, где я сижу в кресле, а Васька на подлокотнике!

— А если следующее интервью будет на радио? — засмеялась Злата.

— Да, Златка, умеешь ты кайф сломать! — покачал головой Денис.

— Ну, должен же кто-то следить за тем, чтобы тебе моча в голову не ударила.

— Для жены эта роль не годится!

— Так я ж еще твой агент!

— Ох, и попал же я! — рассмеялся Денис.

Двадцатого августа они втроем улетели в Барселону. Злата успела заехать в Васькину новую школу и предупредить, что девочка на пять дней задержится.

Решено было до первого сентября пожить в курортном отеле на берегу моря, а потом перебраться в Барселону, где второго сентября предстояла встреча с издателями.

Отель от пляжа отделяла лишь неширокая велосипедная дорожка. Там было красиво, вкусно, но на редкость шумно. На площадке возле небольшого бассейна каждый день появлялся аниматор, занимавшийся с детьми. О том, чтобы Денис там работал, даже речи идти не могло.

Денис взял напрокат машину и, накупавшись с утра, они ездили по окрестностям.

Василиса пребывала в абсолютном блаженстве. Денис учил ее плавать, она легко научилась и совершенно не боялась воды.

Вечером, когда Василиса уже спала, Злата с Денисом сидели в баре на свежем воздухе, а если во дворе отеля играла музыка, уезжали куда-то, где было тихо.

— И как ты могла не узнать, возможно ли тут работать! Это ж пытка какая-то! — сетовал Денис.

— Ничего, тебе полезно немножко отвлечься, отдохнуть от работы. Зато смотри, как наслаждается Васька!

— Да, это приятно. Надо же, какой парадокс...

— Ты о чем?

— У девчонки умерла мать, казалось бы, ужас неизбывный...

— Между прочим, она сама мне об этом парадоксе говорила, даже мучилась угрызениями совести. Сдается мне, что она не слишком любила мать. По-видимому, это была достаточно жесткая особа, напичканная какими-то принципами закомплексованной бабы.

— Может быть, может быть... — задумчиво проговорил Денис. — А Васька умная, в нашу породу. Жалко, что папа так испугался. Может, поговорил бы с дочкой, понял бы что-то. Сдается мне, он вообще не прочь остаться в Испании.

— Да? С чего ты взял?

— Он намекал мне как-то...

— Его право! Но только он обязан предварительно прописать у себя Василису.

— Верно! Пусть у девочки будет квартира в случае чего. Ох, Златка, какая ты рассудительная, предусмотрительная. И воронежскую квартирку, кстати, тоже надо будет продать, когда пройдет полгода, и открыть счет на Васькино имя. А ты, я смотрю, полюбила ее как родную!

— Да! Полюбила! И имей в виду, если мы вдруг разведемся, Васька останется со мной.

— Так, приехали! С чего это нам разводиться?

— Ну пока вроде бы не с чего, но мало ли что бывает.

И хотя в баре было не слишком светло, Злате показалось, что Денис покраснел. А может, померещилось? Скорее всего!

— Да ладно ерунду молоть! Или ты кого-то завела? — вдруг набросился он на нее.

— Ясное дело, завела! Ваську! Я теперь не одна...

Денис шутливо погрозил ей пальцем.

— Смотри у меня!

От этого, казалось бы, шутливого разговора остался какой-то неприятный осадок. А почему, Злата понять не могла.

Через день за завтраком у Дениса зазвонил телефон. Он глянул на дисплей и сбросил звонок.

— Кто звонил?

— Дунаев! — поморщился Денис.

С Аркадием Дунаевым Денис когда-то работал после института, и тот нередко названивал ему со всякими глупостями. То Денис, как известная теперь личность, просто обязан поучаствовать в каких-то акциях либерального толка, то подписать какой-то идиотский протест. Денис всего этого терпеть не мог.

— Ответил бы, а то он будет названивать. Сказал бы, что ты сейчас за границей.

— Да не хочу я с ним разговаривать, а тем более сообщать ему подробности своей личной жизни. Пошел он!

— Тоже верно!

— Ладно, девчонки, пошли, пройдемся после завтрака, а потом на пляж!

Они втроем вышли на аллейку возле велосипедной дорожки.

— Девчонки, идите, я вас догоню! Живот прихватило!

И он очень быстро убежал.

Они медленно побрели вдоль моря.

— Злата, смотри, попугай! — завопила Василиса.

В самом деле — на пальме сидел зеленый с желтым попугай размером с ворону и внимательно смотрел вниз.

— Злата, какое чудо!

— Я ж тебе говорила, тут бывают попугаи.

— Какой красивый!

— Ну, я была знакома с куда более красивым попугаем, — улыбнулась Злата.

— Как это — была знакома?

— Ну, у моих приятелей жил попугай совершенно фантастической расцветки, сине-красно-зеленый!

— Говорящий?

— Не говорящий, а матерящийся! Говорил только матом!

— Значит, твои знакомые так его научили!

— Нет, он к ним залетел!

— И что?

— Они в него влюбились и оставили у себя. Просто когда к ним приходил кто-то, чей слух высказывания попугая могли оскорбить, они накрывали клетку темным платком.

Вдруг попугай поднялся и улетел. И тут же появился Денис.

— Ждете?

— Нет, мы тут попугаем любовались. Все в порядке?

— Да, в полном порядке. Бывает...

Вид у него был весьма довольный.

И опять Злату что-то неприятно кольнуло. Необъяснимо!

У нее была отличная интуиция. Что-то с ним происходит... Может, завел кого-то? Но как он умудрился? Где? Он же практически все время у меня на глазах? Или дело в чем-то другом? Какие-то неприятности? Маловероятно. Обычно со всеми своими неприятностями или сомнениями он обращается ко мне. Не идет работа? Да нет, он так весел, и это не притворство. Может, что-то связанное с отцом, о чем он не хочет мне говорить? Нет, не похоже. А впрочем, ладно. А, кажется, я поняла... Он волнуется перед встречей с издателями! Ну конечно! Помнится, в Берлине было нечто похожее. Но там он не скрывал от меня своего волнения. Ах, боже мой, зачем я себя мучаю какой-то ерундой? У меня все прекрасно, и мало ли какие бывают настроения у людей. Все хорошо!

Они никогда не купались все втроем. На этом настоял Денис.

— Нельзя, девчонки, меня предупреждали, что в Испании безбожно воруют, а у нас тут телефоны и вообще!

— Правильно! — поддержала брата Василиса.

И вот сейчас она осталась сторожить семейное добро, а Денис со Златой побежали в воду и сразу далеко уплыли.

Вдруг зазвонил телефон Дениса. Васька невольно глянула на дисплей и обмерла. То, что она увидела, здорово ей не понравилось и даже напугало. Она задумалась на мгновение, а потом решительно стерла звонок. Звонила... Динара! Что ей могло понадобиться от Дениса? Если бы позвонила Алина, было бы понятно, а Динара... И когда они успели снюхаться? Неужели в те десять минут, когда мы со Златой ходили за кофе? И похоже, вчера утром тоже она звонила. Он сбросил звонок, а потом притворился, что у него живот болит, и убежал, а потом вернулся такой развеселый... И Василиса, прекрасно понимая, что нельзя этого делать, взяла в руки телефон брата и просмотрела входящие звонки. Динары там не было, но не было и Дунаева. Но в исходящих был звонок Динаре! Василису затрясло! Что это? Измена? Как он может? У него такая жена! Нельзя, чтобы Злата об этом узнала! Сама она ни за что не полезет проверять телефон мужа... А может, ничего у них и нет? Может, эта Динара запала на Дениса, он же известный писатель, красавец, и все такое. Она ему звонит, а ему это не надо, и он отвечает ей просто из вежливости? Или даже вчера он позвонил ей и сказал, чтобы она от него отвязалась? А она не понимает! И вот опять звонит! Да, очень может быть... И совсем не обязательно, что он дал ей свой телефон, его вполне могла ей дать Алина. Очень хотелось поверить именно в этот вариант.

— Ну, сестренка, теперь твоя очередь, беги скорее к Злате!

Денис сел рядышком на полотенце.

— Ох, хорошо! Никто мне не звонил?

— Да вроде нет!

И Василиса побежала в воду.

Они пробыли в отеле еще три дня и уехали в Барселону.

— Не дрейфь, Васька, в Барселоне тоже можно купаться! — утешил ее Денис. — Там, конечно, народу прорва, но если приспичит... И вообще, Барселона сказочный город.

Встреча с издателями предстояла завтра.

Барселона совершенно ошеломила Василису.

— Как тут все... — бормотала она завороженно. — Ну надо же!

Денис много знал об истории города, показывал сестре здания, построенные великим Гауди, в искусство которого был просто влюблен.

— Знаешь, Васька, мне было лет тринадцать, ну чуть больше, чем тебе сейчас, и отцу кто-то привез из Испании альбом Гауди. Я рассматривал фотографии этих волшебных домов и мечтал, что увижу все это своими глазами. Даже думал поступать в архитектурный, но потом понял, что на Гауди я не потяну, а тогда зачем? Но при первой же возможности махнул в Барселону, боялся страшно.

— Чего ты боялся?

— Боялся, что разочаруюсь, увидев все воочию.

— Почему боялся?

— А был у меня такой опыт, — засмеялся Денис.

— Ты о чем?

— А я на втором курсе увидал у одного парня глянцевый журнал с невозможной красоткой на обложке. Просто само совершенство, как мне показалось. И выяснилось, что это родная сестра того парня. Я буквально встал на уши, чтобы с ней познакомиться.

— И что?

— Все оказалось далеко не так прекрасно. Умелый грим, свет, к тому же девушка оказалась

на редкость фотогенична, а в реальности...
Пшик! Вот этой-то реальности я и боялся. Но
тут все оказалось, как говорится, на чистом сли-
вочном масле...

— Поняла! — кивнула Василиса.

— Я был уверен, что поймешь. Ты же у нас
умница!

— А скажи, Денис, сколько времени займут
твои переговоры?

— Кабы знать! А почему ты спрашиваешь?

— Злата пойдет с тобой?

— А как же! Без нее я обязательно наделаю
кучу ошибок, продешевлю, и вообще!

— А мне можно будет в это время погулять
одной по Барселоне?

— Одной? Я не знаю, надо спросить у Златы...

— Но я ведь уже большая! И у меня есть
телефон...

— А тебе хочется одной пошляться, да?

— Очень! Ну просто очень!

— Ну, в принципе, почему бы и нет? Ты вроде бы вполне разумная девица. И все-таки надо
спросить у Златы.

— Ладно, спрошу! Скажи мне, а ты вообще
на все спрашиваешь разрешения у Златы?

Денис с удивлением взглянул на сестру.

— Что ты хочешь этим сказать?

— Да ничего, просто спросила.

— И все-таки, что ты имеешь в виду?

— Ну, допустим, тебе захочется встретиться с красивой девушкой, ты тоже спросишь у Златы?

— Разумеется, нет! Только я люблю свою жену, и не нужны мне триста лет красивые девушки!

— А, понятно! Хорошо!

Денис пристально посмотрел на сестру.

Та смутилась. Он это понял.

— Васька, колись, ты меня в чем-то подозреваешь?

Василиса молчала.

— Вася, поверь моему опыту, если вдруг возникли какие-то подозрения, всегда лучше поговорить начистоту, а то подозрения будут только нарастать как снежный ком, а на деле ничего и нет. Я вот расскажу тебе один случай... Это было когда мы только поженились. Я случайно увидел Злату с одним артистом, очень знаменитым, надо сказать. Ну, сама понимаешь, у меня от ревности в голове помутилось, я стал, стыдно сказать, следить за ней, накручивать себя... Пригласил ее в театр на его спектакль, а она отказалась. Я решил, что боится себя выдать, короче, сходил с ума...

— И что?

— Она почувствовала что-то, или заметила слежку. И сказала мне — знаешь, мне не нравится такое начало семейной жизни! Если ты меня в чем-то подозреваешь, скажи прямо, и я все тебе объясню. Ну, я разорался, а она только смеется. Выяснилось, что артист... Он был ее соседом по площадке, и вообще он «голубой». Ты знаешь, что это такое?

— Знаю, не маленькая. Ну и что было дальше?

— А дальше... Счастливая семейная жизнь! Мы выяснили все недоразумения, и нам обоим стало легко и хорошо. У тебя тоже возникли какие-то подозрения на мой счет?

— Возникли! Да!

— Выкладывай! Мы во всем разберемся!

— Хорошо, я скажу... Вернее, спрошу... Кто такая Динара?

— Динара? Это одна знакомая, менеджер в Сбербанке, которая занимается моими счетами. А ты что подумала?

— Денис, это правда?

— Чистейшая правда. Вот, взгляни, — он протянул ей свой телефон, где значился номер, а рядом аватарка с лицом совершенно другой женщины. — Убедилась?

Василиса просияла.

— А ты что придумала, дуреха?

— Я подумала, что это та... визажистка...

— О господи, ну и фантазия у тебя, сестренка! Но теперь ты видишь, как важно откровенно поговорить?

— Да, спасибо тебе, Денис! У меня как камень с души свалился.

— И не вздумай говорить эту фигню Злате!

— Конечно, нет, зачем?

А Денис подумал, надо быть втройне осторожным. Мало ли что... А я ведь не спросил у нее, откуда она узнала про Динару. Не иначе, рылась в моем телефоне. На сей раз мне удалось задурить ей голову...

Дела так закрутили Егора, что он почти уже не вспоминал эту прелестную женщину с зонтиком и таким красивым именем Злата. В редкие свободные минуты он иногда следил за ее мужем в соцсетях. Сама она там отсутствовала. Егор знал, что Кузнецов с женой и сестренкой был в Испании, где купили две его книги, что он, наконец, выкупил дом, в котором жил с семьей несколько лет, и супруга писателя намерена теперь многое там переустроить. А еще там были выложены фотографии и среди них одна, поразившая Егора в самое сердце, — смеющаяся Злата под большим красным зонтом в проливной дождь. И подпись под фотографией «Русской женщине любая непогода нипочем!».

Дурак набитый! — со злостью подумал Егор. Досталось тебе такое сокровище, так не выставляй его напоказ, а то украдут. Егор вспомнил историю одной светской дамочки, которая всем показывала драгоценности, которые ей дарили бесчисленные поклонники, а потом буквально затопила Интернет горючими слезами — ее ограбили! Вот и этого писаку тоже могут ограбить... Я и ограблю его, как пить дать, ограблю! Егор вспомнил их встречу в кафе на Неглинке, ее сияющие глаза. Что я за идиот, почему вдруг забыл о ней? Не позвонил больше... А я ведь почувствовал тогда ответный импульс... Надо сейчас же ей позвонить! И что я ей скажу?

В этот момент у него зазвонил телефон. Он глянул на дисплей. Рубик Мирзаян!

— Алло, Егорша! Ты жив?

— Пока да, Рубик, дорогой!

— Егорша, я вот по какому поводу решился побеспокоить тебя в выходной день. Помнишь, мы с тобой столкнулись летом, и ты меня спросил про Кузнецова, а я еще не знал, кто это?

— Да, что-то припоминаю, — вдруг страшно напрягся Егор. — А в чем дело?

— Слушай, друг, давай не по телефону! У тебя найдется время пообедать вместе? Надо задать энное количество строго конфиденциальных вопросов.

— Дай мне двадцать минут, я разгребу сегодняшние планы и, если получится, перезвоню тебе ровно через двадцать минут.

— Хорошо, Егорша! Жду!

Так, Мирзаян прочел роман Кузнецова и надумал его поставить, и скорее всего хочет поставить его где-то на стороне и ему нужно уяснить себе некоторые юридические моменты. И тогда у меня уж точно появится вполне законный повод позвонить моей Злате как его агенту... Нет, она не моя... Она его, жена и агент... Но будет моей!

Он действительно сделал два звонка. Перенес одну встречу на более позднее время и позвонил Мирзаяну.

— Алло, Рубик, в половине третьего я в твоем распоряжении!

— Спасибо, друг!

Рубен Мирзаян был знаменитым режиссером, лауреатом многих премий и весьма обаятельным и красивым мужчиной. Ему было уже пятьдесят лет, и характер у него был непростой. Но Егору он всегда нравился.

Они обнялись.

— Что за жизнь! Нет, чтобы встретиться с хорошим человеком просто так, без всяких дел, но так крутит, что...

— И не говори! — махнул рукой Егор. — Но как бы там ни было, а я рад тебя видеть.

Они сделали заказ, правда, оба были за рулем, поэтому не пили.

— Ну что, Рубик, нацелился на роман Кузнецова?

— Знаешь, да! Там такие возможности, может классное кино получиться.

— «Плюс-минус бесконечность»?

— Нет, «Холод»! Удивительно красивая вещь, и Владька в восторге, говорит, там такой простор для оператора. И он тысячу раз прав! Такое кино забабахаем! Все умрут от зависти. Но это должно быть дорогое кино, а «Бесконечность» эта дает возможность дешево отстреляться, хотя сюжет там недурной.

— Ну, допустим. А что ты от меня-то хочешь?

— Почву прощупать хочу. Ты этого писателя знаешь?

— Да нет, можно сказать, не знаю, чуть больше знаю его жену и агента.

— Ну, жена мне без надобности, а вот агент...

— Так жена и есть агент! — рассмеялся Егор.

— И что за особа?

— Очень толковая.

— Надо же!

— А где ты возьмешь деньги?

— Да я Мигунова заразил уже этой идеей. Скажи, а твоя компания уже не претендует?

— Я тебя умоляю! Они сделали заход, но, напоровшись на толкового агента, сдали назад. И между прочим, спекульнули твоим именем — мол, кино будет делать Мирзаян...

— Да ты что! Вот скоты! Значит, с этой стороны нам ничто не грозит?

— Абсолютно.

— Это прекрасно! У тебя есть их координаты?

— Разумеется.

— Как думаешь, с кем для начала лучше связаться: с автором или с агентом?

— Думаю, с обоими.

— Муж и жена одна сатана? Впрочем, Мигунов, насколько мне известно, отлично умеет вести такие переговоры, очень ушлый мужик!

— Ушлый и обаятельный, что немаловажно.

— Скажи-ка мне, брат Егорша, у тебя что-то было с этой дамой?

— С какой? — дернулся Егор.

— Ну, с женой Кузнецова?

— Да боже упаси! С чего ты взял?

— Ох, Егорша, я же людей насквозь вижу, у тебя в глазах что-то такое мелькнуло...

— Нет, Рубик, ничего у меня с ней не было, хотя очень хотелось... Знаешь, как я с ней познакомился?

И Егор поведал Мирзаяну историю с зонтиком.

— Да ты что! Здорово! Впечатляет, я понимаю... Жаль, у Мигунова очень сильный юридический отдел...

— А при чем тут это?

— Ну, так можно было бы тебя привлечь, но он вряд ли согласится.

— Рубик, да ерунда все это. Я не засидевшаяся в девках барышня, как-нибудь сам управлюсь, если припрет...

— Понял! Прости, брат!

— Ладно, прощаю!

Прошло три дня, Егор терзался сомнениями. Позвонить, не позвонить... И вдруг она позвонила сама!

— Алло! Злата? — откликнулся он.

— Да, Егор, здравствуйте!

— Я страшно рад вас слышать! Надеюсь, вам не понадобилась помощь адвоката?

— Ну, в известном смысле...

— Что-то случилось?

— Да, и мне необходимо с вами посоветоваться.

— Ради бога! Готов служить! Мы можем встретиться?

— Да, буду вам очень признательна.

— Тогда давайте встретимся. Ну, скажем, в том же кафе на Неглинке.

— Хорошо. Когда вам удобно?

— Ну, например, сегодня, часа в четыре?

— Прекрасно!

У Егора даже голова закружилась от предчувствия встречи. Он прекрасно понимал: с ними связался Мигунов или сам Мирзаян, она мало что о них знает и хочет со мной посоветоваться... А почему она обратилась именно ко мне? Думаю, в их издательстве тоже есть квалифицированные юристы. Хотя, вероятно, она не хочет, чтобы в издательстве узнали все раньше времени. Или ей просто вздумалось встретиться со мной и тут появился предлог? Хотелось бы надеяться...

С их последней встречи прошло несколько месяцев, уже ноябрь... Летом она была в голубом платье... И оно так шло ей... Хотя, вероятно, это тот самый случай, когда подлецу все к лицу!

Егор прибыл первым. Сел за столик в кафе и не сводил глаз с входной двери. И вдруг увидел ее. Она вошла и огляделась. На ней была странная шуба. Белая, длинная, с какими-то зелены-ми пятнами... Она спустилась по ступенькам, осторожно, словно боясь наступить на полу странной шубы. Он вскочил и подбежал к лест-нице, чтобы подать ей руку. Она была на высоких каблуках.

— Злата!

— Спасибо, Егор! Я сдуру надела высокие каблуки.

Он помог ей снять шубу. Она, вопреки ожи-данию, оказалась совсем легонькой.

— Что это за мех?

— То ли коза, то ли овца, — рассмеялась Злата. — Я купила эту штуку в Берлине, муж меня не понял, а я просто влюбилась в эту шубу. Она такая легкая и теплая...

Под шубой на ней было темно-зеленое вяза-ное платье, красиво облегающее фигуру. Глаза от этого платья казались ярко-зелеными...

— Злата, вы голодны?

— Нет-нет, спасибо, я только выпью кофе... И, пожалуй, возьму какое-нибудь пирожное... А вы, Егор, ешьте, меня это не смутит.

— Да нет, я обедал на работе. Так что у вас случилось?

— Егор, нам тут позвонил Рубен Мирзаян, рассыпался в комплиментах таланту Дениса и сказал, что жаждет поставить один его роман.

— Но это же хорошо! Мирзаян — это марка!

— Но просто в прошлый раз тоже фигурировал Мирзаян...

— Но я, кажется, говорил вам, что тогда это была лажа!

— А сейчас?

— Он сам позвонил вам?

— Да. По крайней мере, он представился, и у него такой легкий армянский акцент.

— Тогда не сомневайтесь, это он. И что он вам предложил?

— Понимаете, он наговорил сорок бочек арестантов, посулил невесть что, сказал, что продюсировать собирается Мигунов.

— И что вас смущает, Злата?

— Да как-то уж очень все хорошо... Это и смущает.

— А Мигунов с вами еще не говорил?

— Нет. Мирзаян сказал, что Мигунова сейчас нет в Москве, что он вернется послезавтра, и тогда мы должны встретиться вчетвером.

— Встречайтесь! Поверьте, Мигунов человек вполне порядочный, может, даже вообще самый порядочный из крупных продюсеров. Что с вами, Злата? Вы какая-то растерянная... В прошлый раз вы были другой...

— Да не обращайте внимания, это домашние проблемы, которые на самом деле яйца выеденного не стоят, — улыбнулась она. Но улыбка вышла грустная. — Значит, говорите, стоит с ними встретиться?

— Думаю, имеет смысл.

— И это не окажется опять пустой болтовней? Дело в том, что Денис жаждет увидеть свои... книги на экране. Я пытаюсь ему внушить, что, как правило, от первоначального текста в кино остаются только рожки да ножки, а он... Ну, ладно, мое дело просто блюсти его интересы. Спасибо, что объяснили.

— Всегда рад быть вам полезным.

— Я знаю. Потому и обратилась к вам.

— Спасибо за доверие! А я читал, что вы с семьей были в Испании, и что тамошние издатели купили у вашего мужа две книги.

— Да, и мы смогли купить тот дом, который снимали. В связи с этим на меня обрушилось столько хлопот. Знаете, одно дело съемный дом, и совсем другое — собственный. Многое надо переустроить, отремонтировать...

— И всем занимаетесь вы?

— Ну конечно! А тут еще мой свекор решил перебраться жить в Испанию, а он человек в быту достаточно беспомощный.

— А как поживает Василиса?

— О, она мне помогает по мере сил. Такая хорошая девочка. Да, Егор, еще вопрос...

— Слушаю вас!

— Денис во что бы то ни стало хочет провести эту встречу у нас дома.

— И что вас смущает?

— Это в принципе удобно?

— Более чем! Даже лучше...

— Почему?

— Вы будете себя свободнее чувствовать. И потом, дома и стены помогают.

— Да, наверное, вы правы!

— Господи, Злата, у вас в ваших кругах репутация чуть ли не акулы, а тут вы что-то пасуете... У вас что-то случилось? Скажите, я — могила!

— Спасибо, Егор. Но ничего не случилось... Я просто, видимо, устала.

— Послушайте, Злата, вы... вы всегда можете на меня рассчитывать, если нужна какая-то помощь, не только юридическая. Вы не можете не понимать, что вы... Что я... мы можем быть друзьями... на худой конец...

Ее лицо вдруг озарилось чудесной улыбкой.

— Друзьями на худой конец?

— Простите, вырвалось...

— Ничего, я поняла вас. И то, что я позвонила вам... Я понимаю, что обратилась к вам именно за... дружеской помощью, а вовсе не юридической. После той летней встречи в этом кафе у меня осталось чудесное послевкусие...

— У меня тоже! Но я не звонил вам. Хотя, должен признаться, безумно хотелось позвонить, увидеть вас, но я не мог придумать достойного предлога, как ни глупо это звучит в устах адвоката. И вдруг такая радость, вы сами позвонили!

— Егор, если вам еще захочется мне позвонить, не нужно выдумывать предлог, просто наберите номер...

— Злата, вы чудо! Впрочем, я понял это еще тогда, когда вы сунули мне в руки ваш зонт!

— Да ну, есть о чем говорить...

— Есть! Поверьте, есть!

Он смотрел на нее чуть раскосыми темно-карими глазами, и в этом взгляде читалось что-то такое, что безумно нравилось ей: какая-то нежность и забота...

Она погладила его по руке.

— Спасибо, Егор!

Ему кто-то позвонил. Он озабоченно взглянул на дисплей и поморщился.

— Извините, Злата! Алло! Да-да, я все помню. Скоро буду. Всего доброго! Злата, ради бога простите, но мне надо ехать. Вы на машине?

— Нет, тут негде ее оставить, я на такси. Не беспокойтесь!

— А я уже не могу... не беспокоиться о вас, я уже... отравился вами, милая моя Злата!

— Ладно, Егор, ступайте уже, а то опоздаете, — улыбнулась она.

Он надел пальто, и вдруг схватил ее голову, прижал к груди и поцеловал в волосы. Она подняла голову, как-то грустно на него посмотрела и прошептала:

— Я не зря отдала вам зонтик!

— Я позвоню завтра!

И с этими словами он выбежал вон.

…Злата в задумчивости ковыряла ложечкой пирожное. Что со мной происходит? Я вдруг устала… Мне раньше страшно нравилась моя жизнь. И я так рада появлению в доме Василисы, а вот с Денисом тоже что-то творится… Завел кого-то на стороне? Может быть… С мужиками такое часто бывает. Но он, вроде бы, любит меня и уж во всяком случае очень во мне нуждается. Может, стоит показаться врачу? Но какому? Психиатру, что ли? А он мне скажет: ты, матушка, с жиру бесишься! Но тут позвонил Денис.

— Златка, ты где?

— Часа через два буду дома.

— Мне позвонил Мигунов. Сам! И я пригласил их на послезавтра к ужину.

— Ну и молодец! Ты забрал Ваську из школы?

— Забрал, конечно! И даже помог ей с физикой. У нее явно гуманитарная направленность…

— Ну и слава богу.

— Ты устала, Златка?

— Ага, устала.

— Может, оставишь машину и приедешь на такси?

— Да нет, все нормально.

— ...Златочка, а мне нужно сидеть с вашими гостями? — завела разговор Василиса.

— Ну, как хочешь... А вообще-то можешь поужинать с нами, а потом уйдешь к себе. Анна Захаровна обещала испечь свой знаменитый торт. Да и вообще, ужин будет вкусный. Ну, не хмурься, Васька. Поможешь мне...

— Ну, если так стоит вопрос, то, конечно, помогу.

— Ты мое золото!

Василий Мигунов оказался мужчиной лет пятидесяти пяти, с красивым, но усталым лицом, чуть обрюзгшим, но, тем не менее, очень привлекательным. Не слишком густые седые вьющиеся волосы, обаятельная улыбка.

— Душевно рад, — сказал он, целуя руку Злате, — очень надеюсь, что мы найдем общий язык, Денис Григорьевич. Рубен просто захлебывается от восторга, предвкушая, что будет снимать!

— Ну, меня тоже радует эта перспектива! Первый фильм, и сразу Мирзаян!

— Только предупреждаю, у меня дурной характер! — улыбнулся Мирзаян.

— Не преувеличивай, Рубик, у тебя далеко не самый дурной характер! Ну, вот что, господа, может, сразу к делу? — предложил Мигунов. — Обсудим основные вопросы, а уж потом за стол, а?

— Ну, как угодно гостям! — кивнул Денис. — Позвольте вас представить моей жене, она же мой незаменимый агент. И вообще, лучше вести переговоры с ней. Я не силен в таких делах.

Опять все сваливает на меня, раздраженно подумала Злата, но тут же одернула себя: он же и впрямь мало что смыслит в подобных делах, я же сама его избаловала.

— Денис, а как вас по батюшке? — спросил Мигунов. — Я, знаете ли, привык пользоваться отчествами, ничего не поделаешь, старое воспитание.

— Григорьевич! Денис Григорьевич.

— Да? Простите, а ваш отец... Он тоже Кузнецов? Или это у вас псевдоним?

— Нет-нет, это моя настоящая фамилия.

— Ваш отец физик?

— Да, совершенно верно. Григорий Романович Кузнецов. А почему вы спросили? Вы с ним знакомы?

— Нет, непосредственно не знаком. Просто наслышан. Итак, приступим?

...Переговоры прошли на удивление легко. Мигунов предложил вполне достойный гонорар, на который Злата, хорошо знакомая с расценками, в конце концов согласилась. Мирзаян предложил Денису писать сценарий вместе, что привело того в восторг. И начать решено было в самое ближайшее время, чтобы к весне, по возможности, запуститься.

Злате очень понравилось, как вел себя Мигунов. Наконец мужчины пожали друг другу руки, и Злата пригласила всех к столу.

— Вася! Иди сюда! — позвала она.

Девочка явилась через минуту.

— Это и есть Вася? — удивился Мирзаян.

— Да! Это наша Вася! Василиса! — представила ее Злата.

— Вот не думал, что у вас такая взрослая дочка...

— Это не дочка, — сообщил Денис, — это моя сестренка!

Ужин и вправду был великолепный.

Гости с удовольствием ели и пили. Мигунов сказал, что за ними придет машина. Денис тоже был в приподнятом настроении, а вот Василиса сидела хмурая. Видимо, ей скучно, думала Злата. Наконец они убрали со стола, и Василиса внесла в комнату блюдо с тортом.

— Боже, какая красота! — захлопал в ладоши Мирзаян.

Вася поставила торт на стол.

— Скажи, детка, а что это у тебя на руке? — чуть охрипшим голосом спросил Мигунов.

Василиса всегда, не снимая, носила на правой руке совсем тоненький браслет из серебра, на котором болтались две малюсенькие бирюзинки.

— Это мне досталось от мамы, — с достоинством ответила она. — Моя мама... умерла!

В тоне девочки Злате послышался какой-то вызов. Мигунов как-то рассеянно улыбнулся.

Что бы это могло значить? — думала Злата. Но она так устала сегодня, что у нее не было сил на какие-то догадки и умозаключения.

Наконец, гости уехали. Денис пребывал в эйфории. Василиса давно ушла спать.

— Дэн, составь посуду в машинку, у меня даже на это нет сил! — взмолилась Злата.

— Да, да, я все сделаю, иди спать, а то с ног валишься, агент ты мой любимый! И утром не вставай, я отвезу Ваську, а уж заберешь ее ты. У меня в Москве есть дела...

...Действительно, Денис отвез Ваську в школу, и уехал в город. Злата не стала спрашивать, что за дела у него, она считала важным не слишком контролировать мужа.

По дороге в школу Злата вспоминала вчерашний вечер. Надо попробовать поговорить с Васькой. И когда та плюхнулась на сиденье рядом с ней, Злата поцеловала ее.

— Как дела?

— Нормалек!

— Вась, хочешь заедем в наше кафе? — предложила Злата.

— Надо о чем-то поговорить?

— Да. Есть одна темка...

Когда у них возникала необходимость откровенно поговорить, они обычно ездили в кафе за пять километров от дома. По крайней мере, им никто там не мешал.

— Васечка, скажи, ты что, знаешь Мигунова?

— Нет, я его не знаю, но я видела его фотографию у мамы.

— У меня создалось впечатление, что тебе он не понравился.

— Нет, он мне как раз понравился. Обаятельный.

— А твоя мама... она говорила, кто это?

— Я как-то спросила у нее, она рассердилась... Я тогда спросила, не мой ли это отец... А она засмеялась как-то странно, и сказала, что мой отец Григорий Романович Кузнецов, известный физик. Хотя, если честно, я бы предпочла...

— Чтобы твоим отцом был Мигунов?

— Ну да. Он приятный.

— А что за история с браслетом?

— Тебе тоже показалось, что он узнал браслет?

— Показалось, да.

— Понимаешь, примерно за год до смерти мамы, хотя нет, мне тогда как раз исполнилось десять, мама подарила мне этот браслетик и сказала: носи его всегда, пока замуж не выйдешь, это память, мне он тоже достался от мамы, а ей от бабушки. А когда у тебя родится дочь, ты передашь его ей на ее десять лет. Ну, я спросила, а почему только до замужества носить, а она сказала: он совсем девичий, взрослой женщине не пойдет.

— Да, это верно, — кивнула Злата.

— Я так думаю, что у них с мамой когда-то была любовь, когда она была молоденькая и носила этот браслет.

— Да, возможно, — задумчиво проговорила Злата. — Похоже на то...

— И этот Рубик без кубика мне тоже понравился.

— Рубик без кубика? — засмеялась Злата. — Здорово, так и будем его между собой звать! Надо же, молодец, здорово придумала! Рубик без кубика!

— Златочка, а скажи мне, только честно, Григорий Романович... Он из-за меня решил податься в Испанию?

— Да нет, что ты! — покривила душой Злата, уверенная в том, что все именно так и обстоит. Он сторонится девочки, словно боится ее. — Знаешь, по-моему, у него там завелась женщина.

— Но он же старый!

— Ну не такой уж старый, для мужчины шестьдесят три — еще далеко не старость.

— А как ты думаешь, он любил маму?

— Откуда же мне знать? Я вообще узнала об этой связи, только когда твоей мамы не стало. А вот она любила его? Тоже вопрос... Как бы там ни было, но зато у меня есть ты. Ты, Васька, для меня ужасно дорогой человек, ты мне и дочка, и подружка... Самая близкая...

— Златочка, миленькая, скажи, тебе плохо?

— Плохо? Нет, мне хорошо!

— Неправда! Я же вижу... Тебя что-то мучает... Скажешь нет?

— Ох, Васька... Я сама не пойму, в чем дело. Вроде бы у нас все хорошо, даже отлично. Наверное, я просто устала. Так бывает, упадок сил, вероятно, гемоглобин низкий, надо проверить кровь.

— Так проверь! Трудно что ли? Или ты уколов боишься?

— Да не боюсь я уколов, — улыбнулась Злата, — просто надо собраться... Понимаешь, Васька, — Злата понизила голос, — я вообще боюсь ходить к врачам. Мало ли что найдут...

— Это нецивилизованно! — припечатала ее Василиса.

— Ага, точно, — весело рассмеялась Злата. — Ну вот такая я нецивилизованная!

— А хочешь, я с тобой буду ходить на все анализы и к врачу? Может, тебе будет не так страшно? Я же понимаю, если врач вдруг скажет что-то плохое, а ты выйдешь из кабинета и никого своих рядом нет... Это кисло...

У Златы на глаза навернулись слезы.

— Господи, Васька, тебе же только двенадцать, откуда это все?

— А мне пришлось...

— Что пришлось? Ты одна ходила по врачам?

— Да! У нас в школе была проверка, и меня отправили к гинекологу!

— Господи, зачем? — ахнула Злата.

— Ну, у меня месячные пришли в одиннадцать... И было не совсем так... Меня сперва направили к кардиологу, а она стала меня про месячные спрашивать... И сказала, надо показаться гинекологу. Я жутко напугалась... Сказала маме, а она говорит: надо, значит, надо!

— И ты пошла?

— Пошла! Потому что она говорила, что я дура и трусиха.

— А она с тобой не пошла?

— Нет. Ей было некогда!

— Господи!

— Мне так было плохо, так стыдно, и вообще... Тетка была неприятная, врачиха...

— А что она тебе сказала?

— Я не поняла. Она выписала какие-то таблетки и все. Так что я тебя понимаю... Но мы обязательно с тобой сходим к врачу! Ладно?

— Ладно, — сквозь слезы пообещала Злата. Какое счастье, что у меня есть Васька! И, кажется, еще есть Егор...

А Денис пребывал в полнейшей эйфории. Его писательская карьера на взлете! Теперь вот еще его второй роман хотят издать в Японии! Невероятно! Правда, осторожные японцы для начала предлагают совсем небольшой гонорар, и в Японию не приглашают, но это неважно! Главное — как звучит, меня издают даже в Японии! Но главное, со дня на день они с Мирзаяном начнут писать сценарий! В титрах будет указано: авторы сценария Д. Кузнецов и Р. Мирзаян! И у него теперь есть собственный дом! И прекрасная жена-агент! И вообще женщины к нему более чем благосклонны... Жизнь прекрасна и удивительна!

Примерно через неделю после встречи с режиссером и продюсером Злате вдруг позвонил Мигунов.

— Злата Игоревна? День добрый, это Мигунов!

— Добрый день, Василий Евгеньевич!

— Злата Игоревна, голубушка, не могли бы мы с вами встретиться?

— Что-то случилось?

— Ну, в общем, да... Только имейте в виду, это никоим образом не связано с нашим проектом! Там все идет своим чередом! Это дело совершенно иного свойства... Выберется у вас часок-другой?

— Безусловно! Но когда бы вы хотели?

— Может быть, завтра, часиков в двенадцать? Я бы сам к вам приехал, но дело вполне конфиденциальное, так что...

— Ну, тогда выбирайте место, я приеду, не вопрос.

Он назначил ей встречу в маленьком кафе в районе Пресни.

— Боюсь, там негде припарковаться. Впрочем, неважно. Оставлю машину во дворе и приеду на такси!

— Спасибо! Потом я вас довезу!

— Тогда до встречи, Василий Евгеньевич.

Злата глубоко задумалась. О чем пойдет разговор? Не иначе о Василисе... Стоп! Он Василий, так может в его честь Елена назвала дочку Василисой? Но при чем тут мой свекор? Если бы она стремилась женить его на себе, дело другое... Или она считала... Впрочем, откуда мне знать, что она себе там придумала, эта странная, и, похоже, малоприятная женщина... А что, Мигунов не знал о дочери? Тогда он просто не мог бы ни о чем догадаться... Нет, он знал, скорее всего, но дамочка почему-то сказала ему, что дочь не его, а Кузнецова. Да, хуже нет, чем все эти семейные тайны! Все эти избушки с погремушками. В самый раз для телешоу с установлением ДНК. «Знаменитый продюсер вызывает на детектор лжи знаменитого профессора! Они хотят выяснить, кто отец юной Василисы!» Вот это пиар! Ну еще бы! Полстраны помчится смотреть фильм по роману родного брата Василисы... Тьфу, гадость какая! И ведь в основном все понарошку... Не приведи господь оказаться в центре такой истории! Хотя все это глупости! Григорий Романович за все золото мира не пойдет на такое позорище! А может, дело совсем в чем-то другом? Поди разберись! Ей вдруг нестерпимо захотелось позвонить Егору, услышать его теплый голос... Нет! Не нужно этого! Что я ему скажу? Что мне захотелось услышать его голос? Абсурд! Нельзя давать едва знакомому мужчине такие авансы. Недопустимо! Я же люблю мужа. А я люблю его? Раньше таких вопросов я себе не задавала. Да ерунда, люблю, конечно! Он свой... Или уже нет? Господи, откуда эти сомнения? А он меня любит? Или ему просто очень удобна такая жена? Ну, тут можно не сомневаться, еще как удобна! Я веду все его дела, и веду более чем успешно, и дом тоже я веду. Как он рассыпался в благодарностях после визита Мигунова с Мирзаяном. И многие, ох, очень многие мне завидуют. И многие девушки уже готовы или готовятся занять мое место. Одно утешение — Васька. Она совершенно искренне ко мне привязана. Чуть более полугода она с нами, а уже стала такой близкой. Ближе Васьки у меня сейчас и нет никого. Но все-таки, о чем со мной собирается говорить Мигунов? Ладно, надо просто набраться терпения и не ломать голову впустую.

— Златка! — позвал ее сверху Денис. — Будь добра, поднимись ко мне!

— Иду!

Она взбежала на второй этаж, в кабинет мужа.

— Да, Дэн, что случилось?

— Ничего не случилось. Скажи, какой у нас крайний срок сдачи книги?

— Первое февраля! А что, ты не успеваешь? Тогда надо заранее сообщить о пролонгации. Или речь идет о небольшой задержке?

— Да нет, я надеюсь закончить в середине января. Просто хотел уточнить. Мы же собираемся писать сценарий... Идеально было бы, конечно, заняться сценарием уже после книги, но это не выйдет... Так что на всякий случай напишем просьбу о пролонгации.

— Разумно. Но только прошу тебя, никому пока не говори про сценарий, и вообще про кино. Не нужно!

— Думаешь?

— Да. А что, ты уже кому-то трепанул?

— Да нет, кому... — как-то смущенно пробормотал Денис.

Злата поняла, что он врет. Не иначе похвастался перед какой-то девицей... И тут Злата поняла, что она-таки есть, эта девица! Стало тошно. А может все-таки дело не в девице, а в каком-нибудь старом приятеле? Будем надеяться!

...За завтраком Злата сказала:

— Дэн, у меня в двенадцать деловая встреча, забери Ваську из школы!

— Хорошо, заберу. А что за встреча?

— С Мигуновым. Вернее, с его юридической службой.

— О! Это важно!

— Конечно, важно.

— А сам Мигунов будет?

— Кажется, да. Мне нравится такая постановка дела, когда главный продюсер не прячется за спинами своих сотрудников.

— Ты права! Ну что ж... А когда ты успела отвезти Ваську?

— А ее отвезла Люся Барыкина. Васька дружна с ее Никитой. И ты, когда поедешь, заберешь и Никиту тоже.

— Будет сделано! Этот Никита вроде неплохой пацан.

— Да-да! Поставь в телефоне напоминалку, а то заработаешься...

— Да не волнуйся!

Злата волновалась до тошноты. О чем пойдет речь? Если не о Василисе, то даже вообразить невозможно. Она подъехала к кафе минута в минуту. Мигунов уже ждал ее. Он пунктуален, это хорошая предпосылка.

— О, Злата, вы пунктуальны! Я чрезвычайно ценю это качество в людях. Оно довольно редкое, особенно у женщин.

Он поцеловал ей руку. Вид у него был донельзя утомленный, даже измученный. На столике стояла корзинка с пирожными и тарелка с румяными сухариками.

— Какой кофе вы предпочитаете?

— Пожалуй, американо.

— Злата... Можно к вам так обращаться?

— Да ради бога!

Подошла официантка, приняла заказ.

— Злата, вы наверняка теряетесь в догадках...

— Теряюсь, Василий Евгеньевич, теряюсь...

— Я и сам в полной растерянности и смятении, что для меня совершенно нехарактерно. Я редко теряюсь. Ну, хватит ныть! Злата, скажите мне, что вы знаете о Василисе?

Злата посмотрела ему в глаза. Ей стало его жалко.

— Вы предполагаете, что Василиса ваша дочь? Он вспыхнул.

— Она что, знает?

— Нет. Но предполагает. Мать уверяла ее, что она дочь Кузнецова. Настаивала на этом.

— И судя по тому, что Василиса живет у вас…

Он ломал пальцы. Разговор давался ему тяжело.

— Василий Евгеньевич, я вижу, вам трудно. Давайте я расскажу вам все, что мне известно, и как все было… после смерти Елены Анатольевны.

— Боже, какое счастье иметь дело с умной женщиной! — вдруг улыбнулся Мигунов. — Я слушаю вас!

— Я совершенно ничего не знала о существовании этой Елены Анатольевны и, следовательно, Василисы. И вдруг мне позвонил Григорий Романович, мой свекор, и попросил приехать к нему. Я приехала, и он, краснея и бледнея, рассказал мне, что у него в Воронеже есть двенадцатилетняя дочь, мать которой погибла. Он в растерянности, не знает, что делать… Ну а что можно в такой ситуации делать? Мчаться в Воронеж и забирать девочку, пока ее не упекли в детдом! Я сообщила мужу, тот полностью меня поддержал, более того, позвонил в Воронеж, наговорил сестре массу добрых слов, и на другой день мы сорвались и поехали в Воронеж. И теперь Вася живет у нас. Это, так сказать, канва.

— Канва? А теперь вы будете вышивать по ней узор, — как-то даже нежно улыбнулся Мигунов.

До чего обаятелен, собака! — подумала Злата.

— Нет, узоры потом. Теперь давайте вашу канву!

— М-да... Трудно. Придется начать издалека. Я познакомился с Леной очень давно, она была совсем молоденькой девчонкой. И хотя я был сильно старше, у нас завязался роман. Я не придавал ему какого-то глобального значения, а она здорово влюбилась, видимо, на что-то рассчитывала, а для меня такие страсти были обременительны. Ну я и расстался с ней. Объяснил, как умел. Мне показалось, она поняла... Прошло несколько лет, я ничего о ней не знал, она осталась в Воронеже, а я занялся кино, пошел в гору, перебрался в Москву... Но однажды я был по делам в Брауншвейге, и вдруг столкнулся на улице с Леной! Она очень изменилась, повзрослела, похорошела, сказала, что вышла замуж, счастлива, и все в таком духе. Я был рад ее видеть, она меня ни в чем не упрекала, вспоминала только все самое светлое и приятное в наших отношениях и сказала, что хранит браслетик, подаренный мною, но уже не носит, мол, она теперь взрослая женщина, а браслетик сугубо девичий... Мы долго гуляли по улицам, ну и догулялись, вспомнили былую страсть... А еще она говорила, что непременно отдаст этот браслетик дочери, если она у нее будет, или же невесте сына... На том и расстались... Прошло несколько лет, я был в Воронеже, мы увиделись просто в кафе... Она сказала, что у нее есть дочь. Я не без страха спросил, кто отец, и она, ни секунды не помедлив, сказала, что ее отец крупный физик Григорий Кузнецов. У них любовь, но он женат, хотя дочку признал и помогает деньгами. Ну, я и успокоился. Больше мы не виделись. Я даже не спросил тогда, как она назвала дочь... А когда мы с Рубеном ехали к вам, он как-то между делом сказал, что Денис Кузнецов сын того самого Григория Кузнецова. Мне стало слегка любопытно. Не более того. Но вдруг появляется девочка Вася, жутко похожая на мою младшую сестру, на руке у нее тот самый браслетик... И почему-то мне ужасно понравилась эта девочка. Я как будто ощутил пресловутый зов крови... И вот додумался позвонить вам, дорогая Злата. И теперь я рассказал вам все как на духу...

— И что дальше?

— Откуда я знаю? Скажите, а какие отношения у Василисы с Григорием Романовичем?

— Знаете, никаких!

— То есть? Он ее не принял?

— Да нет, скорее уж она его не приняла. И он... Он ее даже боится. Не понимает, как ему вести себя... И сначала уехал читать курс в Испании, а теперь намерен и вообще там остаться.

— О господи!

— Знаете, после вашего визита Вася что-то такое заподозрила. Сказала, что видела вашу фотографию у матери в альбоме, и даже осмелилась предположить, что вы ее отец, но мать категорически это отрицала...

— А в каком месяце родилась Василиса?

— В апреле. Двадцать восьмого апреля.

Он молча шевелил губами и загибал пальцы. Прикидывает по срокам, сообразила Злата.

— Очень возможно... очень...

— Ну даже если?

— У меня нет детей. По крайней мере, я не знаю... Зов крови... Черт, как это все... Как в каких-то дурацких телешоу!

— Не хотите ли, сударь, сделать тест ДНК? — довольно ядовито осведомилась Злата.

— Знаете, хотел бы... Чтобы не мучиться зря!

— А если окажется, что она ваша дочь? Тогда что?

— Тогда я буду ей отцом, буду всячески помогать... ей и вам.

— Вы женаты?

— Нет. Давно в разводе.

— И как вы себе все это представляете? Василиса очень привязана к брату и ко мне. Она отогрелась в нашем доме, эта ваша пресловутая Лена была суровой, неласковой, да попросту плохой матерью, девочка говорит, что ей никогда раньше не было так хорошо, как у нас. Она чудесный человек, моя Вася... И я не хочу!

— Погодите, Злата, не кипятитесь раньше времени, — мягко улыбнулся Мигунов. — Может, все еще обстоит совершенно иначе. И в любом случае я вовсе не собираюсь что-то рушить в жизни Васи. Но если я все-таки ее отец... Я же не смогу, в силу разных обстоятельств, дать ей то, в чем она, по-видимому, очень нуждается. Но я хочу, если все подтвердится, так или иначе участвовать в жизни дочери, содержать ее, помогать, чем возможно... оплачивать ее учебу... Ну, вы сами понимаете... Давайте все-таки сделаем экспертизу!

— Надеюсь, без участия телевидения?

— Да вы с ума сошли! Об этом и речи быть не может! Я даже не хочу, чтобы Василиса об этом знала, и прошу вашей помощи. У меня есть друг, он профессор-генетик, он все устроит совершенно анонимно.

— Даже не знаю, что сказать. Конечно, можно попробовать, если на условиях полнейшей анонимности!

— Разумеется! Клянусь вам чем хотите, а, знаю, клянусь своим бизнесом, что все будет шито-крыто! Более того, давайте договоримся, когда и где вы сможете передать мне этот... как его... биоматериал, что ли...

— Нет, сделаем иначе, чтобы моя совесть была чиста. Я пойду с вами в эту лабораторию и лично передам все...

— Не доверяете киношникам? — грустно улыбнулся Мигунов. — Между прочим, правильно! Исключительно сволочной народ.

— Василий Евгеньевич, у меня вот возникло одно соображение...

— Я весь внимание!

— Если, паче чаяния, окажется, что Василиса действительно ваша дочь и никоим образом не сестра моему мужу...

— То возникает вопрос, почему, собственно, она должна жить в его доме? Так?

— Да, так. Ситуация как минимум двусмысленная. И новая травма для Василисы. Одно дело жить в доме брата, единокровного, и совсем другое... Она очень тонко чувствующий человек, она привязана к нам, а тут... Ужасно!

— Послушайте, Злата, у меня есть идея... Если выяснится, что Вася моя дочь, то мы сделаем так: мы ничего никому говорить не станем, пусть все идет как идет до Васиного совершеннолетия, только я буду давать вам деньги и негласно помогать в случае необходимости. Если меня до тех пор хватит кондрашка, Василиса будет моей наследницей. А если нет... Что ж, тогда мы с вами расскажем уже взрослой девочке всю правду...

— Вы это серьезно? — поразилась Злата.

— Более чем серьезно!

— С ума сойти, мне этот разговор напоминает какой-то английский роман девятнадцатого века. Это в высшей степени благородно, Василий Евгеньевич!

— Да ерунда. Просто охота на старости лет замолить старый грех. И девочка очень славная... Но ей все-таки исключительно повезло в жизни, потеряв мать, она попала к вам в руки... Поверьте, я разбираюсь в людях...

— Василий Евгеньевич, все это очень мило, но ведь может оказаться, что Вася действительно дочь Григория Романовича.

— Да. Может... Хотя я чувствую... Она моя... Вот, гляньте!

Он поискал в телефоне и протянул его Злате. Она увидела старый снимок, а на нем девочку в пионерском галстуке, поразительно похожую на Василису.

— Это ваша сестра?

— Да.

— А знаете, многие находят явное сходство Васьки с Денисом, — грустно улыбнулась Злата.

— Ладно, поживем — увидим. Знаете, я опасался этого разговора, кто знает, как отреагирует на все это малознакомая женщина. Но вы — это высший класс! Умны, добры, глубоко порядочны... Повезло вашему мужу!

Они договорились встретиться через несколько дней и вместе пойти в лабораторию к приятелю Мигунова.

Этот разговор нелегко дался Злате. Она чувствовала себя вконец измочаленной. Она была почти убеждена в том, что Мигунов отец Василисы. И если это так, мне много лет предстоит жить под грузом этой тайны. Быть предельно осторожной, чтобы случайно где-то не проколоться. Тьфу ты черт! Пусть лучше Васька будет дочерью Григория Романовича. Хотя Мигунов произвел на Злату самое благоприятное впечатление.

— Ну, как прошла встреча? — полюбопытствовал Денис.

— Да хорошо! А где Васька?

— Барыкины упросили меня оставить ее у них на обед.

— А!

— Но все же, о чем говорили? Сам Мигунов был?

— Был. Надо заметить, он, кажется, очень приличный человек.

— Мне звонил Мирзаян, он со своим армянским темпераментом весь горит идеей нашего фильма! Говорит, что очень многое уже придумал... Златка, а что это у тебя вид такой измученный?

— А думаешь легко вести такие разговоры?

— Вовсе я так не думаю! Я сам категорически неспособен на подобные беседы. И как ты меня ни накачивай, я все равно половину забуду.

— Да ерунда, просто я тебя разбаловала, — пожала плечами Злата.

— Может быть, может быть. Но факт, что сама разбаловала.

— Послушай, Денис, поскольку ты намерен опоздать с книгой, то...

— Не опоздать, а немного задержать...

— Хорошо, пусть так, но я предлагаю тебе дать мне прочесть то, что уже написано, я прочту как редактор, потом распечатаю написанное, а там уж немного останется, сэкономим время.

— А что, отличная мысль. У тебя хороший глаз. Только надо сперва распечатать, ты ж не любишь читать с экрана.

— А хочешь, я распечатаю?

— Нет, я сам… — решительно отверг предложение Денис.

Странно, подумала Злата, раньше он всегда соглашался. Но, возможно, дело в том, что роман не окончен? Или он почему-то боится подпускать меня к своему компьютеру? Что у него там, любовная переписка? Да вряд ли… А впрочем, мне почему-то все равно…

Дня через три Денис спросил за ужином:

— Девчонки, какие у вас планы на зимние каникулы?

Злата и Васька переглянулись.

— Ну, пока вроде никаких, — ответила Злата, — а почему ты спросил? Есть какие-то идеи?

— Есть! Могу вас отправить куда-нибудь, или в горы, или к теплому морю?

— Что значит — отправить? — спросила Злата. — А ты не поедешь?

— Как я могу куда-то ехать? Мы с Мирзаяном собираемся все каникулы работать.

— И мы будем тебе мешать? — осведомилась Василиса.

— Почему обязательно мешать! — возмутился Денис. — Просто у вас обеих какой-то загнанный вид. Вот и подумал... Вась, ты куда хочешь?

— Я не знаю. Пусть Злата решает. Мне все равно.

— Советую все-таки выбрать море, — сказал Денис с улыбкой.

— Да нет, к теплому морю сейчас надо лететь невесть сколько...

— А езжайте в Вену! У вас есть Шенген, Вена сказочный город! В Зальцбург смотаетесь... Тем более, Златка не была в Австрии...

— Воображаю, сколько это будет стоить в каникулы, — поморщилась Злата.

— Да ладно, Златка, у нас сейчас есть такая возможность. Мигунов ведь не просто купит у меня права, я буду еще и соавтором сценария. Давай, Златка, займись билетами и отелем, и спокойно поезжайте! Каникулы больше чем через месяц, все успеется...

Злата глянула на Василису, у той горели глаза.

— Ладно, согласна, только вот билетами и отелем сам займись! Ты это лучше умеешь!

— Хорошо, займусь! — легко согласился Денис. — Мне для моих девчонок ничего не жалко!

Злата встретилась с Мигуновым, привезла с собой зубную щетку Василисы, заменив ее другой, точно такой же, и еще волосы с расчески.

Когда с процедурой было покончено, Мигунов спросил, сколько времени займет исследование. Ему сказали, что десять дней.

— Ну вот, первый шаг на пути к истине уже сделан.

— Вы такой бледный… Волнуетесь?

— Еще бы мне не волноваться, — смущенно улыбнулся Мигунов. — Давайте пока не будем говорить на эту тему, ладно?

— Конечно! О чем тут говорить пока?

— И вот что, получать результат мы тоже будем вместе! Договорились?

— Разумеется! А как же иначе!

Егор привез маму к врачу.

— Егорка, ты не ходи, я не люблю. Жди меня в машине!

— Мама, я хочу знать, что с тобой!

— Ничего нового. Просто возраст. Я вполне прилично себя чувствую! Короче, сиди и жди!

— Как скажешь, мамочка! — пожал плечами Егор. Ничего, он потом позвонит доктору. У них уже есть такая договоренность. Доктор был милым человеком. И привык к разным бзикам своих пациентов. Егор хотел уже углубиться в свой планшет, как вдруг заметил знакомую шубу. Второй такой в Москве не было. Белая косматая шуба, по спине которой бежала зеленая молния. Злата? Что она тут делает? И тут же он заметил Мигунова. Так, очень интересно! Что бы это значило? Мигунов поддерживал Злату под руку, они сели в его громадный джип и уехали.

Егору кровь бросилась в лицо! Что это значит? Что они тут делали? И что их может связывать? Роман? Абсурд! Хотя почему? Мигунов интересный мужчина, как говорят бабы, очень богатый. Собирается снимать кино по роману ее мужа. Неужто она спуталась с ним из корыстных побуждений? Это так на нее непохоже... Да и то, как они подошли к машине... Это непохоже на какие-то интимные отношения. Может, он заболел, а у нее тут какой-нибудь знакомый врач? Или наоборот, она заболела? Боже сохрани! Он был в полном смятении. И не придумал ничего лучше, чем немедленно позвонить ей. Она быстро ответила.

— Алло! Егор?

— Злата! Нам необходимо увидеться!

— Ну, если необходимо, увидимся, — весело ответила она.

— Давайте завтра, часов в двенадцать, там же.

— Хорошо, я приеду! До завтра, Егор! Рада была вас слышать!

— Кто такой Егор? — полюбопытствовал Мигунов. Злате показалось, что в его голосе прозвучала ревность. Вот еще новости!

— Егор — это инженер, который осматривал наш дом, прежде чем мы начнем ремонт.

— Дельный специалист?

— Вроде бы да.

— Сколько ему лет?

— Лет сорок. А почему это вас интересует?

— Просто вы так явно обрадовались...

— И что? Василий Евгеньевич, почему я не могу обрадоваться?

— Да можете, можете, конечно! Извините мое любопытство... Знаете, оттого что нас с вами связывает некая тайна, я вообразил себе какую-то чушь. Простите великодушно!

— Так и быть, прощаю! — улыбнулась Злата.

Ох, кажется, она врет, и этот Егор ей вовсе не безразличен... Так явно обрадовалась... А может, увести ее от мужа? Она хороша... Ох, если окажется, что Василиса моя дочь... Я уведу ее, как нечего делать! Этот ее писатель — он слабак, он ее недостоин... И если я вспомню былое... Давненько мне не хотелось вспоминать былое. Я и не думал ни о чем таком, а звонок неведомого Егора... Но я старше нее больше чем на двадцать лет. Ну и что? Сейчас это никого не удивит. Да и пусть удивляются!

Они остановились на светофоре, и Злата, поймав на себе жадный взгляд Мигунова, вдруг рассмеялась.

— Василий Евгеньевич, вот не ожидала от вас!

— Чего не ожидали?

— Что телефонный звонок неведомого вам мужчины может пробудить в вас инстинкт собственника!

— Не собственника, а просто мужчины! Вы на редкость привлекательная женщина, Злата...

— Вы забыли добавить — замужняя женщина!

— Да бросьте, Злата! Мы, слава богу, живем в России, и у нас за взгляды на женщину не карают!

Она опять звонко рассмеялась.

— Да, ваша правда! Тем более что такие взгляды, знаете ли, повышают самооценку.

Он взял ее руку и поднес к губам.

— Вы настоящее чудо! И, надеюсь, ваш Егор в состоянии это оценить.

— Ох, вы просто Отелло! Поверьте, у меня ничего нет с этим Егором.

А про себя добавила: пока!

Она даже сама не ожидала, что так обрадуется его звонку. И предстоящей встрече. Она займет ее мысли до завтра, а что там будет завтра — бог весть! Но так или иначе, это отвлечет меня от мыслей о пресловутом ДНК-тесте. Она заехала в школу за Василисой.

— Златочка, ты приехала! Как хорошо!

— Разве я задержалась?

— Нет, просто я всегда рада тебя видеть! Знаешь, я посмотрела в Интернете... Вена такой красивый город. И Зальцбург тоже!

— Значит, ты рада этой поездке?

— Ну еще бы! А ты?

— Да в общем тоже рада...

— Егорка, что с тобой? — спросила мама на обратном пути. — Какие-то неприятности?

— Да нет, мамочка, просто образовалась одна неразбериха... Надо бы разобраться!

— Это по работе? Или в личной жизни?

— Да по работе, мама. Совсем неинтересно. Но нервы может помотать.

— Егор, а что с твоей личной жизнью?

— Ничего нового!

— Очень печально! Ты не в отца. Тот был не промах!

— Так и я вроде не промах! — засмеялся Егор.

— Но в твоем возрасте уже пора иметь нормальную семью.

— Ох, мама, оставь!

— Все, молчу!

— Молчать не обязательно, просто избегай этой темы!

...Когда Злата с Василисой приехали, оказалось, что Дениса нет дома. На кухонном столе лежала записка: «Златка, меня неожиданно позвали на интервью! Приеду — расскажу!»

Странно, подумала Злата, как-то неожиданно. Обычно так не делается. Чтобы писателя приглашали на интервью в пожарном порядке. Хотя, конечно, бывает всякое, но, как правило, обращаются сначала ко мне, как к агенту... Что-то слабо верится. Да еще он так явно старается выпихнуть нас с Васькой на каникулы подальше от дома. Очень подозрительно. Но я почему-то воспринимаю это достаточно спокойно. В чем дело? Я разлюбила мужа? А почему? Неужто из-за Егора? Да нет, глупости! Но я ужасно рада завтрашнему свиданию... Стоп, это не свидание, это просто встреча. А, там видно будет!

Денис вернулся довольно поздно.

— Что за интервью в пожарном порядке? — полюбопытствовала Злата.

— Прости, я знал о нем за три дня, но просто совершенно забыл. И вдруг они звонят и напоминают... Ну, я сорвался, неудобно было... Я же пообещал...

— А кому интервью-то давал?

— «Комсомольской правде», толстушке.

— Странно, почему это они обратились к тебе напрямую, а не ко мне?

— Почем я знаю! Они позвонили, я согласился! Я что, обязан спрашивать у тебя разрешения? Ты и так водишь меня на коротком поводке! Надоело!

— Ты нарываешься на ссору?

— Нет, просто хочу объяснить тебе наконец, что я взрослый человек и вполне самостоятельная фигура!

— Отлично! Я очень рада, что ты наконец вырос из коротких штанишек и готов сам заниматься своими делами. В таком случае я, пожалуй, пойду работать! Дом у нас налажен, Анна Захаровна и Васька справятся...

— Что за бред ты несешь! Идиотский феминистский бред! Противно слушать! И куда это, интересно знать, ты пойдешь работать?

— Да вернусь в издательство, мне сколько раз предлагали, и еще буду представлять интересы других авторов! А еще мне Мигунов предлагал пойти редактором на студию...

— Мигунов? Когда это он успел?

— Да на днях, когда я с ним встречалась!

— А может он тебе еще что-нибудь предлагал?

— Что ты имеешь в виду?

— Ну мало ли... Он известный бабник!

— Прекрати! Тошно тебя слушать! И еще... я думала, как тебе сказать... но раз уж пошел такой разговор... я прочла твою рукопись...

— И что? — недобро прищурился Денис.

— Вся эта линия с Орестом... Она абсолютно вторична...

— Что? — позеленел Денис.

— Она вторична... как будто списана у Брэдбери, только, уж извини, пожиже... — Злата закусила удила.

— Много ты понимаешь! Ты вообще не любишь фантастику, мало что о ней знаешь!

— Вот именно! Однако я сразу почувствовала эту вторичность! И советую тебе отказаться от этой линии или же кардинально ее изменить! А в остальном все нормально вроде бы. Спокойной ночи! И ночуй сегодня в кабинете!

Она вышла и побежала вниз.

— Златочка, что случилось? — кинулась к ней перепуганная громкими воплями Василиса.

— Ничего особенного, просто поцапались. Бывает! Не страшно! Я, конечно, тоже хороша. Наговорила ему черт знает чего... Да и он тоже...

— Вы когда-нибудь так ссорились?

— Всяко бывало, — Злата обняла Ваську, поцеловала. — Не бери в голову, чего только между мужем и женой не бывает... Перемелется... мука́ будет.

— Или му́ка, — как-то совсем не по-детски вздохнула Василиса.

— Ерунда, Васька, поверь мне, это дело житейское!

Когда Злата после душа вошла в спальню, Денис в пижаме сидел на кровати с очень понурым видом.

— Златка, прости меня, дурака! Понимаешь, я сам чувствую, что не идет у меня эта линия, а еще и сроки поджимают. Вот и лезу на стенку! А к кому же придраться, если не к жене... Извини меня бога ради! И не держи зла. Давай все забудем! Ты тоже мне наговорила всякого... Но я ненавижу быть в ссоре с тобой, меня это угнетает... И как я без тебя? Это же немыслимо! И я вовсе не вырос еще из коротких штанишек... Стыдно, конечно, в этом признаваться, но ты же сама меня избаловала.

— Денис...

— Да все я понимаю, просто нервы. Ну не злись, пожалуйста, ну иди ко мне!

Он обнимал и целовал ее. А она испугалась. Раньше его объятия и поцелуи всегда вызывали у нее горячий отклик, а тут — ничего! Не может же быть, чтобы так, в одночасье... Или может?

— Постой, Денис, я плохо себя чувствую, оставь...

— Ты больше не сердишься?

— Да нет, не сержусь. Мы оба погорячились...

— Так можно мне остаться?

— Оставайся, что с тобой делать. Прости, я смертельно хочу спать.

— Ну спи, — уныло согласился Денис.

А Злата долго еще не могла уснуть. Что же такое случилось? Сколько раз мы ссорились, а потом всегда очень горячо и страстно мирились... Неужто дело в Егоре? Да нет, чепуха! Денис — он родной, близкий, а тот... Незнамо кто, в сущности. Но он мне очень нравится, мне с ним как-то легко и спокойно. А тут еще и Мигунов явно положил на меня глаз. А это мне зачем?

...Утром Злата отвезла Василису в школу и стала думать, что бы такое надеть на встречу с Егором. Надо что-то скромное, утро же. Черные узкие брючки и светло-серый свитер. Скромно, достойно и не может вызвать никаких подозрений ни у Дениса, ни у Егора. Нет, все-таки серый скучновато. И она надела недавно купленный пуловер цвета «пепел розы». Вот теперь то, что надо. Она уже надела любимую шубку, как сверху сбежал Денис.

— Златка, ты куда?

— В город!

— Зачем?

— У меня встреча с юристом.

— С каким еще юристом?

— С издательским, с каким же еще!

— Зачем?

— Видишь ли, Денис, в договоре есть два пункта, которые вызывают у меня сомнения, в прежних договорах их не было. Это подозрительно!

Денис никогда сам не читал договор, все предоставлял Злате и вообще терпеть не мог всякие деловые бумаги.

— Ладно! Слушай, а ссоры иной раз бывают полезны. Я после вчерашнего придумал, что мне делать с Орестом...

— Ну и молодец! Вечером расскажешь, я сейчас спешу!

— Ну и зачем ты надела эту ерунду? Дурацкая какая-то шуба...

— Да? Но она производит фурор везде, где я появляюсь. И мне очень нравится...

— Нравится производить фурор?

— Представь себе!

Кажется, мы сейчас опять поссоримся, надо удирать!

— Все, Дэн, я поехала! Забери Ваську из школы!

— Будет сделано!

Егор загадал: если Злата придет в своей забавной шубе, все будет хорошо. А что, собственно, должно быть хорошо? Она мне даст? Смешно... Мне этого мало! А чего ты, дурак, хочешь? Я хочу не просто переспать с ней, я хочу быть с ней всегда. Хочу на ней жениться! Ох, я же вообще-то вовсе не хочу жениться? Или хочу жениться на ней? На ней и ни на какой другой бабе! Надо первым делом спросить у нее, что их связывает с Мигуновым. Он куда более опасный соперник, чем ее писатель. Тот просто самовлюбленный болван и слабак. А Мигунов — это фигура. И когда он успел подсуетиться? Волна невесть откуда взявшейся злобной ревности захлестнула Егора. Вот не сунула бы она мне зонтик, ничего бы этого не было. Я бы, скорее всего, просто не обратил на нее внимания. Она отнюдь не красавица, видали и получше. Кстати, эту шубку она наверняка носит именно чтобы бросаться в глаза, собственных ресурсов не хватает, видимо... Стоп, скотина! — одернул он сам себя. Чего ты бесишься? Да она же самая очаровательная женщина из всех, кого я знаю. И на нее можно смотреть часами, а это лучше, чем броская красота. Ох, грехи наши тяжкие! Она уже опаздывает... на пять минут! На нее не похоже. А вдруг с ней что-то случилось? Мало ли... дороги скользкие... Но вот он увидел знакомую шубу. И ощутил такой прилив радости, что чуть не задохнулся.

— Злата! Как я рад вас видеть! И в этой шубе... Она так мне нравится...

— Да? — обрадовалась Злата. — А мой муж терпеть ее не может.

— Господи, почему?

— Не знаю.

Он помог ей снять пресловутую шубу, бросил на спинку свободного стула.

— Ну, Егор, что за срочность? — с улыбкой спросила Злата.

— Скажите ради бога, что вас связывает с Мигуновым?

— С Мигуновым? Ну вы же и сами знаете, он будет продюсировать фильм по роману моего мужа.

— Неправда! — воскликнул Егор, сам удивляясь своей горячности. — Я видел вас вместе с ним, когда вы выходили из медицинского центра...

— Вы что, следили за мной?

— Боже сохрани! Я просто привез туда свою маму и видел.

Злата растерялась. Она даже под пыткой никому не призналась бы, зачем они с Мигуновым ездили в этот центр.

— Егор, медицинские вопросы — это... это сугубо частное дело. Вы вот возили туда свою матушку, а я... познакомила Мигунова с одним замечательным доктором. Вот и все! И вообще, какое вам дело?

— Мне есть дело... до вас! И еще я ревную!

— Ревнуете? К Мигунову?

— Да, представьте себе, ревную! Ко всем, и к Мигунову в частности! Говорят, женщины от него мрут как мухи!

— Я что, была там похожа на дохлую муху?

— Нет, — счастливо рассмеялся Егор, — хотя я не знаю... У меня в глазах потемнело!

— Послушайте, Егор, а с какой это стати вы меня ревнуете? Я что, давала повод?

— Повод? Нет, пожалуй, но вы дали мне зонтик, а с ним и надежду... Вот как-то так.

— Ерунда, я точно так же дала бы зонтик любому, кто так нетерпеливо рвался бы под тот жуткий ливень, и все же не решался... Не относите это на свой счет.

— А тогда почему вы все-таки согласились со мной встретиться?

— Потому что вы мне нравитесь, Егор. Мне приятно с вами общаться. Только и всего. Но если вы позвали меня, чтобы устроить допрос, то, извините, я лучше пойду!

— Нет, Злата, милая, простите меня. Я позвал вас, чтобы сказать...

Она выжидательно смотрела на него.

— Сказать, что я... влюбился в вас как дурак! И уже измучился... Вы замужем, ваш муж известный писатель, вероятно для женщины это много значит, но, простите великодушно, я не верю, что вы его любите! Вот не верю и все! Голову дам на отсечение!

— Вы наглец!

— Что и требовалось доказать! Любили бы, вели бы себя иначе!

— А каким боком вообще вас это касается?

— Собственно говоря, вроде бы никаким. Но я по себе знаю, какая это пытка жить с нелюбимым.

— Да что за ерунда! — рассердилась Злата. — Я люблю своего мужа, и вообще...

— Вы врете! Может, когда-то и любили. Он с объективной точки зрения, наверное, красавец, высокий, голубоглазый, женщины от таких млеют, но сейчас... Знаете, я, может быть, и сволочь в глазах многих, допускаю, но у меня отличная интуиция, и такие вещи я секу на раз, тем более, когда дело касается женщины, которая потрясла меня до глубины души!

— Бросьте, Егор!

— Нет, не брошу! Я прекрасно вижу, что у вас происходит, учтите, это я сейчас адвокат, а раньше был следователем, и чуйка у меня будь здоров! Так вот... Вы сделали карьеру своему мужу, вы ведете все его дела, занимаетесь его жизнью, здоровьем и так далее, а он с удовольствием все это принимает, принимает как должное, но по-настоящему не ценит. Он привык к вам, вообразил небось, что он Лев Толстой, а вы его Софья Андреевна...

— Не преувеличивайте, Егор, — рассмеялась вдруг Злата, — до Толстого он в собственных глазах еще не дорос, да и я отнюдь не Софья Андреевна. Отнюдь!

— Простите, Злата, меня немного занесло.

— Да ладно, прощаю! А вот что хотелось бы понять. Вы сказали, что в глазах многих вы сволочь...

— Ну, естественно, ведь я адвокат, и притом хороший, развалил в суде немало неправедных дел. Так кто же я для тех, кто эти дела затевал? Кстати, и следователем я был неплохим...

— А почему ушли в адвокатуру?

— А денег больше.

Злата вдруг широко улыбнулась.

— Здорово, что вы не стали толкать пафосных речей, а просто сказали про деньги! Значит, вы честный человек! И если вам не лень, скажите, почему вы пошли в следователи? Романтика профессии?

— Отчасти. Просто мой отец был важняком в Генпрокуратуре.

— И вас это не отвратило от профессии?

— Нет, наоборот.

— А ваш отец, как он отнесся к смене вашей деятельности?

— Он до этого не дожил.

— Простите! А ваша матушка?

— О, моя матушка удивительная женщина! Она безумно любила отца, прощала ему все мучительные для нее издержки этой профессии. Вообще многое ему прощала. Она из семьи такой... Ее предки были дворянами, какой-то прапрародственник участвовал в восстании декабристов. Мама и сама из породы декабристок. Правда, отца в Сибирь не ссылали, времена уж другие были, но если бы... Мама пешком пошла бы за ним.

— Как приятно, что вы так любите вашу маму.

— Но я отнюдь не маменькин сынок! Я доставлял маме много неприятностей в жизни. Ее, например, страшно огорчает, что я не женат.

— И не были?

— Был. Давно.

— Еще в бытность вашу следователем?

— Именно! И жена не выдержала этой жизни.

— Не любила, видимо.

— Не любила. Однозначно!

— А вы, вы ее любили?

— Мне казалось. Но я был очень молодой, мало что понимал. Однако когда она ушла, решил, что больше жениться не хочу. И был уверен в этом... до встречи с вами, Злата!

— Здрасьте, приехали! — рассмеялась она.

— Зря вы смеетесь, зря! Говорю сейчас как на духу! И знаете, что я еще понял? У вас очень много общего с моей мамой. И я абсолютно уверен, что вы легко найдете с ней общий язык!

— Егор, я, конечно, польщена, но, по-моему, вы просто бредите!

— Злата, умоляю, дайте мне шанс!

— Какой к черту шанс?! На что?! Или в этой фразе слово «шанс» лишнее? И смысл ее прост как правда: «дайте мне, Злата!» Так?

Егор страшно побледнел, скрипнул зубами, сплел пальцы в замочек, хрустнул ими, и вдруг улыбнулся так, что разгневанная Злата задрожала.

— Злата, Злата, дорогая моя, я просто в восторге! Раз уж вы так подумали, значит, наши устремления... э... совпадают? Разве нет? Вы сейчас опять скажете, что я наглец? Да, я наглый тип, поймите, ненаглый адвокат вообще не имеет никаких, абсолютно никаких шансов, ни на что.

Но тут его взволнованную речь прервал звонок Златиного телефона. Она обрадовалась, выхватила телефон из сумочки. Номер был незнакомый.

— Алло!

— Злата Игоревна?

— Да, я.

— С вами говорит директор школы!

— Инна Ивановна? Что случилось? — вдруг страшно перепугалась Злата.

— Случилось то, что ваша Василиса избила свою одноклассницу Аллу Борисовскую, разбила ее телефон. Аллу пришлось отправить к врачу.

— О господи! А Василиса что, ни с того ни с сего на нее напала? Извините, но я никогда в это не поверю!

— Злата Игоревна, мне очень не хотелось бы вмешивать в эту историю полицию, это может отразиться на репутации школы, а посему я требую, чтобы вы немедленно приехали, и мы бы во всем разобрались. До вашего приезда Василису я домой не отпущу!

— Разумеется, я приеду, но дело в том, что я сейчас в Москве и быстро вряд ли получится. Но вы можете позвонить моему мужу, он приедет через четверть часа.

— Василиса говорит, что звонить Денису Григорьевичу совершенно бесполезно. Уж не знаю, в чем дело...

— Странно! Ну хорошо, скажите Василисе, что я немедленно выезжаю.

— Что стряслось, Злата? — встревоженно спросил Егор.

— Не понимаю, ерунда какая-то...

И Злата вкратце передала ему суть беседы.

— Я поеду с вами! И не возражайте! Поверьте, в такой ситуации присутствие адвоката не помешает, коль скоро эта директриса упомянула о репутации школы и тем более о возможном обращении в полицию. Полагаю, там еще будет мамаша пострадавшей девчонки... Короче, даже не пытайтесь возражать! На меня дамские возражения вообще не действуют!

Злате вдруг показалось, что он искренне хочет помочь.

— Ну что с вами делать... Едем!

— Где ваша тачка?

— Во дворе.

— В каком дворе?

— Я оставила ее в нашем дворе, на стоянке. А сюда добралась на такси.

— Значит, поедем на моей. Она тут недалеко. Пошли!

Он подал ей шубу, натянул куртку и взял Злату под руку.

Когда они выехали на Садовое кольцо, Егор, видя, что Злата не на шутку взволнована, счел за благо задать вопрос:

— Злата, а Василиса в принципе склонна к агрессии?

— Василиса? Да ничего подобного! Она исключительно спокойная и уравновешенная девочка, вполне разумная. У нее и в прежней школе, в Воронеже, никаких проблем никогда не было. Я ума не приложу, что такое должно было произойти, чтобы она полезла в драку. Вообще какой-то бред...

— А как она относится к вам и к вашему мужу?

— Да прекрасно она к нам относится, как и мы к ней. Просто со мной она ближе. Мы с ней обо всем на свете можем говорить, а Денис целыми днями сидит у себя в кабинете... Но он очень любит свою сестренку.

Сестренку ли? Мелькнуло в голове у Златы, и ей стало нехорошо.

Егор это заметил.

— Да ладно, Злата, дорогая, не волнуйтесь так, я все улажу!

— А как я объясню Ваське, откуда вы взялись?

— Просто вы в трудной ситуации позвонили знакомому адвокату, что только естественно.

— Да, в самом деле. Директриса еще сказала, что Васька якобы разбила телефон той девчонки, но телефон я возмещу, это самое простое. Интересно все же: почему она не пожелала звонить Денису?

— Я могу лишь предположить, что она за что-то сердится на него. Повторяю, это всего лишь предположение...

— Господи, бедная Васька, ее там держат в заложниках... Она наверное голодная.

— Бросьте, не драматизируйте, и поверьте, я все улажу в два счета.

— Да не в том дело... А, ладно, поживем — увидим!

И Злата глухо замолчала. Егор тоже не стал продолжать разговор. Ему было просто приятно сидеть рядом со Златой, вдыхать запах ее духов и ощущать свою нужность ей.

Они подъехали к школе. Охранник преградил им путь.

— Куда? Уроки давно кончились!

— Меня вызвала Инна Ивановна. Срочно!

— А, это по поводу драки, Кузнецова?

— Кузнецова!

— А это кто? Муж?

— Нет, я адвокат госпожи Кузнецовой.

— Ишь ты, адвоката привезла! Крутая! — покачал головой охранник. — Куды ж нынче без адвоката! Скоро уж в сортир будут с адвокатом ходить. Ладно, проходите, чего уж там!

Они поднялись на второй этаж, где помещался кабинет директора. В приемной никого не было. Злата постучалась и сразу распахнула дверь. За столом восседала директриса, полная женщина лет пятидесяти с приятным усталым лицом. Больше никого в кабинете не было.

— Здравствуйте, Инна Ивановна, а где Василиса? — единым духом выпалила Злата.

— Заперта в учительской. Я спрятала ее там на всякий случай в ожидании родителей Борисовской.

— Господи помилуй!

— Злата Игоревна, присаживайтесь! Кто это с вами?

— Я адвокат госпожи Кузнецовой Егор Чарушин.

— Так уж сразу и адвокат, — усмехнулась директриса. — Впрочем, это даже неплохо, значит, будем говорить в присутствии адвоката. Итак, что мне удалось выяснить на данный момент... Борисовская что-то сказала Василисе и, насколько я поняла, показала ей что-то в телефоне, отчего Василиса пришла в настоящую ярость, выхватила у Аллы телефон, швырнула на пол и раздавила каблуком. А потом еще вцепилась Алле в волосы, с силой толкнула ее, та упала, стукнулась головой...

— Василиса продолжала ее бить? — уточнил адвокат.

— Нет, она в нее плюнула и побежала к выходу, но ее перехватил наш физрук...

— Но вы что-то говорили про врача, — робко напомнила Злата.

— К счастью, прибежала наша медсестра, очень опытная, она осмотрела Борисовскую. И сочла, что ничего страшного, просто губа разбита, а сотрясения, к счастью, нет... Но согласитесь, это все-таки прецедент. Драка, разбитый телефон...

— Телефон я возмещу!

— Естественно, — кивнула директриса. — Но вы должны строго поговорить с Василисой, объяснить ей...

— Скажите, а как она сама объясняет свой поступок? — поинтересовался Егор.

— Никак не объясняет. Она просто молчит. Ни на какие вопросы не отвечает. Только когда я сказала, что сейчас вызову ее брата, она побледнела, закусила губу и как-то безнадежно махнула рукой. Я поняла, что этого делать не следует. И тогда я при ней позвонила вам.

— А где пострадавшая девочка?

— Ее увез отец.

— Почему же в таком случае вы держите Василису взаперти? — воскликнула Злата.

— Поймите, я же не предполагала, как именно отреагируют родители Борисовской, и на всякий случай отправила Василису в учительскую. Но реакция отца Борисовской явилась для меня полнейшей неожиданностью. Узнав, что случилось, он отвесил дочери подзатыльник и сказал: «Допрыгалась, идиотка? Я предупреждал, что твое помешательство на интернет-сплетнях до добра не доведет, коза! Огребла? И слава богу, может, впредь умнее будешь...» И с этими словами он увел Аллу, но вдруг обернулся и заявил: «Инна Ивановна, прошу никаких санкций к Кузнецовой не применять!» Вот такая вот история! Но согласитесь, что Василиса не должна была лезть в драку, разбивать телефон да еще грязно ругаться...

— Она грязно ругалась? — с улыбкой спросил Егор.

— Да, представьте себе! А это в стенах школы совершенно недопустимо! Ничего, пусть почувствует себя виноватой, даже не столько перед Аллой, сколько перед вами, Злата Игоревна.

— Да-да, вы абсолютно правы, — поспешил ответить Егор, прекрасно понимая, что Злата может сейчас наговорить лишнего. — Но прошу вас отпустить ребенка. Уверен, она все осознала, прочувствовала, и в конце концов, девочка, вероятно, просто голодна...

— Нет, ей дали чай с бутербродами.

— Вот за это спасибо!

Директриса кому-то позвонила:

— Люда, приведи Кузнецову!

И буквально через две минуты в кабинет вошла Василиса.

— Вася! — бросилась к ней Злата, обняла, поцеловала.

— Прости меня, пожалуйста! — шепнула ей девочка.

— Уже простила!

— Спасибо! Я знала...

На лице Василисы не было даже следов слез, глаза сухие, но в них застыло какое-то горестное выражение. Что же все-таки там было, в этом телефоне?

— Злата, — начал Егор, — вот ключи от моей машины, вы идите, а я задержусь на пять минут.

— Хорошо, — кивнула Злата, обняла Василису за плечи и вывела в коридор.

— Это кто? — сурово осведомилась Василиса.

— Адвокат. Я как раз встречалась с ним по одному издательскому делу, когда мне позвонила Инна Ивановна. Я так перепугалась, что попросила его поехать со мной. Васька, колись, из-за чего сыр-бор? За что ты кинулась на эту девчонку?

— За дело, — сквозь зубы проговорила Василиса.

— А почему ты не пожелала, чтобы позвонили Денису?

— Вот этого не надо!

— Почему? Вы поссорились?

— Нет! Просто не хочу!

— Денис что-то натворил?

— Он все время что-то творит, он же у тебя творец!

— Вот даже как... Ну, ты даешь, Васька! — покачала головой Злата. Что же все-таки сделал Денис? Кажется, я начинаю понимать... По-видимому, мои подозрения были не беспочвенными, у него завелась другая женщина, это попало в соцсети, и Алла что-то продемонстрировала Василисе. Черт возьми, как это все неприятно...

Они спустились во двор, к машине Егора.

— Мы на этой поедем? А твоя где? — хмуро поинтересовалась Василиса.

— В городе осталась. Меня Егор привез.

Тут появился и сам Егор.

— Прошу вас, девушки, садитесь, куда прикажете доставить?

— Если вас не очень затруднит, — заговорила вдруг Василиса, — отвезите нас в Москву, к нашей машине.

— Вася! — опешила Злата. — Зачем это?

— А как ты будешь без машины, тебе же она нужна! И завтра мне в школу...

Сильна девчонка, подумал Егор.

— Здраво! Нет вопросов, отвезу вас без проблем.

— Ну что ж, — неуверенно согласилась Злата. Она понимала, что Ваське необходимо поговорить с нею с глазу на глаз. Но что же все-таки случилось?

И тут как раз позвонил Денис.

— Златка, куда вы с Васькой запропастились?

— Я тебе потом объясню, мы вернемся часа через три. Ты обедал?

— Нет, я вас ждал. Что-то случилось?

— Затрудняюсь сказать. Не знаю пока...

— Что за дурацкая манера говорить загадками! — взорвался Денис.

— Я же сказала, что все объясню, когда вернусь. Обедай без нас.

— Разумеется, пообедаю, не помирать же мне с голоду, если тебе вздумалось разводить таинственность!

— О господи, ступай скорее поешь, с тобой голодным разговаривать просто невозможно, — раздраженно заметила Злата.

Так, угодил в эпицентр семейных разборок, подумал Егор с усмешкой. Оно мне надо? И вдруг сам себе ответил: надо, оно мне просто необходимо! Дурак ты, братец! Нет, я, кажется, наоборот стремительно умнею. И девчонка мне нравится, характер у нее будь здоров! И явно беззаветно любит Злату. А муженек, похоже, здорово накосячил... Ну, поглядим, что дальше будет.

— А между прочим, ваша директриса нормальная тетка, — заговорил Егор, чтобы прервать тяжкое молчание, повисшее в машине. — Я вспомнил директрису в моей школе... Настоящий монстр! А ваша — вполне... Понимающая... А ты как считаешь, Василиса?

— Да, она ничего, справедливая... А что там с этой?..

— Ничего страшного, отец увез ее домой и еще дал подзатыльник за пристрастие к сплетням из Интернета.

— Серьезно? — крайне удивилась Василиса.

— Да, и велел директрисе не применять к тебе никаких санкций, — вступила в разговор Злата.

— Ну надо же...

— Да, все разрешилось наилучшим образом, но все-таки драться не следовало бы, — присовокупила Злата.

— Может и не следовало бы, но иногда приходится. Пусть эта гадина знает...

— Да, Вася, директриса еще сказала, что ты грязно ругалась. Очень интересно, — со смешком заметил Егор. — Можно узнать, как именно?

— Да ладно... Зачем вам?

— Понимаешь, интересно, что в ее представлении грязные ругательства.

— Да, Васька, признавайся! — улыбнулась Злата.

— Я... Я сказала, что она сука рваная...

— Да, пожалуй, по школьным меркам это достаточно грязно, — захохотал Егор.

— А по общечеловеческим? — заинтересовалась Василиса.

— А по общечеловеческим... ну так... средненько, да нет, просто чепуха на постном масле.

И все трое расхохотались.

Классный дядька, решила Василиса. А Злата была ему страшно благодарна за то, что он так умело разрядил обстановку.

Егор довез их до Златиной машины.

— Ну, мне пора, девушки! Рад был познакомиться, — улыбнулся он Василисе. — Злата, я позвоню, как только будут какие-то новости. Всего вам доброго!

И он уехал.

— Васька, ты голодная?

— А что?

— Давай поедим где-нибудь, и ты мне все расскажешь. Я умираю с голоду!

— Выходит, ты на меня не сердишься?

— Да нет же, не сержусь, просто хотелось бы понять, что послужило причиной. Ладно, поговорим за обедом.

Оставив машину по-прежнему стоять во дворе, они пошли пешком на соседнюю улицу, где располагался очень симпатичный ресторанчик.

— А ты давно знаешь этого адвоката?

— С лета. Он тебе понравился?

— В общем, да. Только он, по-моему, в тебя влюблен.

— Да ну, ерунда какая! С чего это ты взяла? — как можно более равнодушным тоном осведомилась Злата.

— Ну, он кидал на тебя такие взгляды... и вообще... бросил все дела и потащился с тобой в школу. Делать больше нечего, что ли? А он тебе нравится?

— Он вполне приятный человек, но, главное, профессионал высочайшего класса.

— А по-моему, главное, что приятный, — с легкой усмешкой заметила Василиса.

Когда они сели за столик и сделали заказ, она вдруг заявила:

— Злата, прошу тебя... ты знаешь, как я к тебе отношусь... не пытай меня, за что я врезала этой дуре, все равно не скажу!

— Да я, кажется, догадываюсь.

— О чем ты догадываешься? — встревожилась Василиса.

— Судя по всему, это как-то связано с Денисом. Видимо, Алла нашла что-то о нем в соцсетях, показала тебе, и ты, что называется, вступилась за честь брата?

— Нет! За твою честь...

— Там было что-то обо мне? — удивилась Злата.

— Нет, но...

— А, поняла, кажется... Ну, не хочешь говорить, не нужно. Не буду тебя мучить. Это каким-то образом задевает нашу семью? — Злата очень тщательно и осторожно подбирала слова. — Так или иначе, спасибо тебе, Васька! И не будем больше говорить на эту тему.

Но когда они сели в машину, чтобы ехать домой, Василиса вдруг расплакалась.

— Васька, ты чего? — всполошилась Злата. — Устала, моя маленькая? Ну не надо плакать, прошу тебя, не рви мне душу, умоляю!

Но девочка рыдала все горше. Злата прижимала ее к себе, целовала, гладила по голове, шептала ласковые слова, и сердце ее при этом обливалось кровью. Девочка искренне меня любит и безумно боится, что какая-то женщина разрушит семью. Лишь недавно обретенный и милый ее сердцу мир. Но сказать, выразить это словами она не в состоянии, чтобы не предать брата, не ранить меня... Господи, что же делать, поговорить с Денисом начистоту? Нет, не могу, не хочу! Но что если тест ДНК покажет, что Васька дочь Мигунова? Это легко сказать, что все останется по-прежнему... Вот уж точно, благими намерениями вымощена дорога в ад. И я почти уверена, что по-прежнему ничего не останется. Денис явно спутался с какой-то особой, которая, конечно же, вознамерилась увести его. Вероятно, это она выложила что-то в сеть. Как противно...

— Ну вот что, Вася, запомни одну вещь: что бы ни произошло между мной и Денисом, как бы ни сложилась ситуация, ты в любом случае останешься со мной. Ты для меня совсем родной человек, и ближе тебя у меня, собственно, никого нет. Ну, конечно, если ты сама не решишь иначе.

— Я?! Я решу иначе?! — буквально взвилась Василиса. — Да никогда в жизни! Скажи, а ты... ты любишь этого адвоката?

— Нет, не люблю, — искренне ответила Злата, — я его едва знаю, не говори глупостей, Васька! Но от Дениса я, возможно, уйду...

— Но он же мой брат... — растерянно пробормотала Василиса.

— Ну и что? Вон Григорий Романович твой отец, и что?

Василиса только рукой махнула.

— Но если ты... не любишь адвоката... тогда почему ты хочешь уйти от Дениса?

— Сдается мне, что ты знаешь это даже лучше, чем я.

— Злата!

— Ладно, замнем. Пока сохраняем статус-кво! Кстати, ты знаешь, что это такое?

— Знаю, не думай!

— И больше мы на эту тему не говорим!

— А что ты скажешь Денису?

— Не волнуйся, найду, что сказать!

Однако, когда они вернулись, Дениса не было дома.

Ну и слава богу, подумала Злата.

Денис вернулся поздно, ничего не объяснил, ни о чем не спросил, только бросил:

— Извини, у меня жутко разболелась голова, буду ночевать в кабинете.

Ну и слава богу, опять подумала Злата.

Утром все вели себя как ни в чем не бывало.

Постепенно жизнь входила в свою обычную колею.

...Прошло несколько дней. Злате позвонил Мигунов.

— Злата, час пробил! Анализ готов!

— И вы уже знаете результат?

— За кого вы меня принимаете? Мы же договорились, что поедем туда вместе. Когда вам удобно?

— Ну, когда удобнее вам, я все же не так занята.

— Хорошо, тогда, например, завтра в десять утра вас устроит?

— Вполне. Встретимся там?

— Да, пожалуй, так будет удобнее.

— Договорились.

По дороге Злата страшно волновалась. Если окажется, что Василий Евгеньевич все же отец... Нет, не стану я пока об этом думать, не хочу! Дома в последнее время все как-то устаканилось, Денис держался спокойно и даже добродушно, учил Ваську играть в нарды, что ее здорово увлекало. А может, все еще и обойдется? Может, все ерунда? Ну, загулял слегка мужик, с кем не бывает...

Въехав во двор медицинского центра, Злата сразу приметила машину Мигунова, а сам он топтался рядом, несмотря на пронзительный ледяной ветер. Волнуется...

Она вылезла из машины, и он сразу бросился к ней.

— Здравствуйте, Злата!

— Зачем вы тут мерзнете?

— Волнуюсь страшно... Даже сам не ожидал...

— Я тоже, если честно.

— Идемте!

Они вошли, разделись, натянули бахилы.

— Если б вы знали, как я ненавижу эти мешки, — проворчал Мигунов. — Но ничего не поделаешь...

Они поднялись на третий этаж. В тесном лифте Злате почудилось, что она слышит, как гулко колотится сердце у Василия Евгеньевича. Надо же...

Им пришлось прождать минут двадцать в коридоре. Но вот, наконец, их пригласили в кабинет.

— Вам огласить результат? — спросила немолодая усталая женщина.

— Ни в коем случае! — отрезал Мигунов, взял конверт и за руку вывел Злату в коридор. Они сели на скамейку и переглянулись.

— Мне страшно, — прошептал Мигунов. — Вскройте вы!

И он протянул конверт Злате.

Мужики, с презрением подумала Злата и решительно вскрыла конверт. Пробежала глазами текст.

— Ну, что там? — хрипло произнес он.

— Поздравляю, Василий Евгеньевич, вы отец. Девяносто девять и девять с нулями. О господи, что же теперь?..

— Но мы, кажется, обо всем уже заранее договорились... Злата, я порядочный человек и слово свое держу. Я буду помогать по мере сил, но негласно... разумеется, при условии, что у вас в семье все останется по-прежнему.

— Что вы хотите этим сказать? — насторожилась Злата.

— Ничего. Просто жизнь штука непредсказуемая... Сами видите. Хотелось бы все же понять — почему Лена объявила отцом Кузнецова? А впрочем... Я рад, знаете ли, я очень-очень рад.

— Чему вы так рады? Факту отцовства?

— Да, конечно, но не только…

— А чему еще вы рады?

— А тому, что познакомился с такой удивительной женщиной, как вы, которая любит мою дочь, боится за нее… Знайте, Злата, если вам что-то в жизни понадобится… Даже не в связи с Василисой… Как там у Чехова? Если вам понадобится моя жизнь…

— О господи, — испугалась вдруг Злата, — Василий Евгеньевич, не надо Чехова…

— Вы не любите Чехова? — улыбнулся Мигунов.

— Люблю, но только не пьесы.

— Пожалуй, я тоже… Просто вспомнилось к случаю. И знаете, что еще меня в вас восхищает? То, что я, кажется, еще ни разу не видел у вас в руках телефона.

— Ну, тут вы не правы, я довольно часто держу в руках телефон, но исключительно по делу. Сама терпеть не могу эту идиотскую погруженность в виртуальную жизнь. Особенно когда сидишь за рулем, а дорогу переходит мамаша с малым ребенком, и при этом пялится в телефон, совершенно забывая о малыше.

— А когда видишь: за столиком в кафе сидят двое, явно пришедшие вместе, и неважно, какого они пола, и они не общаются между собой, а каждый погружен в свой гаджет. Мне всегда хочется подойти, встряхнуть обоих хорошенько и спросить: «Какого черта вы сюда приперлись вдвоем?» Злата, что мы тут сидим, пойдемте, а то нас кто-нибудь засечет и черт-те что может подумать...

— Уже, — грустно улыбнулась Злата.

— Что — уже?

— Когда мы с вами тут были в прошлый раз, нас засек один мой знакомый. Задавал много вопросов, но я сумела запудрить ему мозги.

— И что же вы соврали?

— Ну, это же все-таки медицинское учреждение достаточно широкого профиля...

— Ну да, просто на воре шапка горит... Да, прежде чем мы уйдем отсюда, я хочу передать вам...

Мигунов вытащил из кармана небольшой конверт и протянул его Злате.

— Что это?

— Банковская карточка на ваше имя, я хочу, чтобы вы тратили на Василису деньги ее отца, биологического отца.

— Василий Евгеньевич!

— Злата, прошу вас, возьмите и не возражайте. Я буду регулярно класть деньги на эту карточку, а если вдруг потребуется что-то экстренное, не дай бог, конечно, вы всегда, в любую минуту дня и ночи, звоните мне. Я хочу еще сказать, если вдруг возникнет нужда в доноре...

— Да господь с вами, Василий Евгеньевич! — ахнула Злата.

— Да-да, простите за такие мысли, но я наклепал столько фильмов и сериалов с подобными коллизиями, — обаятельно улыбнулся Мигунов. — Да, и еще... Если вдруг помощь потребуется лично вам, я тоже всегда готов...

— Спасибо вам большое, — растрогалась Злата. — И знаете, я рада, что у моей Васьки такой отец.

— Да ладно вам, — поморщился Василий Евгеньевич. — Простите меня, Злата, мне, собственно говоря, уже давно пора ехать. Но с вами не хочется расставаться. Все, простите, я побежал!

И он быстро ушел. А Злата все сидела в коридоре медицинского центра. А правильно ли мы поступаем, лишая Ваську такого отца? Не знаю, я в полной растерянности. И посоветоваться абсолютно не с кем. Ладно, поживем — увидим. Жизнь сама подскажет, как быть и что делать.

Она поехала домой. Там все было тихо. Вот и хорошо!

На следующий день за обедом Денис объявил, что уже оплатил их поездку в Австрию.

— Вылетаете двадцать восьмого декабря в Вену. Второго января едете в Зальцбург, а потом на неделю в горы. Да, надо Ваське купить шикарный лыжный костюм.

— Купим, в чем проблема, только я на горные лыжи ее не пущу. Вот если б ты ехал с нами, дело другое, ты это здорово умеешь, а я нет! Разве что на санках!

— Согласен, но шикарный лыжный костюм и на санках будет вполне уместен. Правда, Вася?

— Не знаю... Это, наверное, очень дорого.

— Не дрейфь, осилим! — засмеялся Денис, щелкнул Василису по носу и побежал наверх, работать.

Утром Злата отвезла Ваську в школу и собралась уже ехать домой, как вдруг ей позвонил Денис.

— Златка, ты где? Скорее возвращайся, умоляю тебя!

— Что случилось, Денис? — перепугалась Злата. Она поняла, что муж в абсолютной истерике. — Говори толком!

— Не могу даже выговорить... Это какой-то кошмар, я просто убит... Не понимаю, что делать! Приезжай скорее, ради всего святого!

— Я буду через четверть часа.

И Злата на бешеной скорости понеслась к дому. Что же могло случиться? Из-за пустяков Денис не впал бы в такую истерику.

Она выскочила из машины и бросилась к дверям. Денис выбежал ей навстречу. Вид у него был полубезумный.

— Приехала наконец-то!

И вдруг он бухнулся перед ней на колени.

— Прости меня, ради всего святого прости, прости, только тебя люблю, бес попутал!

Ага, понятно... Но дело тут вовсе не во внезапном раскаянии, тут что-то другое...

— Ну, что тебя бес попутал, я поняла уже давно...

— Что?

— Что слышал! Но что еще стряслось сверх попутавшего тебя беса? Твоя пассия залетела? И собирается поставить меня в известность? А ты уверен, что залетела именно от тебя?

Денис медленно и тяжело поднялся с колен.

— А тебе, похоже, на все это наплевать? — недобро прищурился он.

— Нет, совсем не наплевать, это, знаешь ли, достаточно неприятно... Но тут ведь что-то еще, я чувствую, говори уж наконец!

— Да, ты как всегда правильно все чувствуешь, интуиция у тебя дай бог какая... Все, о чем я сказал, это бы еще с полбеды, но... Короче, эта стерва обратилась на телевидение, и меня приглашают на программу с этим... как его... детектором лжи...

— Так, очень интересно... только этого еще не хватало, — обессиленно проговорила Злата. — Надеюсь, ты отказался?

— Конечно, отказался, но мне объяснили, что мой отказ практически означает признание.

Что же делать, Златка? Может, надо наоборот пойти, а?..

— Тебе телевизионной популярности захотелось? Или большой гонорар посулили? Что ж, дело твое, иди, позорься.

— Даже если я не пойду, меня все равно опозорят за глаза, — развел руками Денис.

— Ну что ж, как твой агент могу сказать, такой пиар вполне может поспособствовать росту тиражей, — пожала плечами Злата.

— Брось, это чепуха. А что ты можешь сказать как моя жена?

— А как жена, вернее, как уже бывшая жена...

— Златка, не дури! Ну прости ты меня, бывает... Ну поддался я... Виноват, тысячу раз признаю свою вину...

— А она действительно беременна? Или это просто уловка?

— Откуда я знаю...

— А кто она такая вообще?

— Помнишь, когда у меня была фотосессия... Девушка, которая гримировала... Динара.

— Так... Что ж, она красивая. Это любовь?

— Да какая там любовь! — отмахнулся Денис.

— Еще хуже... Что, тебя так разобрало, что ты даже не предохранялся?

— Слушай, Златка, зачем тебе эти подробности? Ну было и было, подумаешь. С кем не бывает... Только что теперь-то делать?

— Терпеть! Или можешь, к примеру, уехать к своему папочке. Вот уж точно, яблоко от яблони... Пересидишь там скандал. Полагаю, он быстро уляжется, если его не подпитывать, думаю, максимум через месяц никто о нем и не вспомнит.

— Да, ты права, в самом деле надо уехать! — обрадовался Денис. — Но только не к отцу.

— Езжай в Австрию, там вроде бы уже все на мази.

— Глупости, эта поездка была задумана для вас с Василисой, я от своих обещаний не отказываюсь. Просто я поеду с вами!

— Нет, Денис, — покачала головой Злата, — с нами ты не поедешь. Найди себе другое место под зимним солнцем. Все, я устала, и меня от тебя тошнит!

— Злата, любимая, не бросай меня в такой тяжелый момент! У нас же все было так хорошо, так прекрасно и гармонично. Умоляю тебя! Подумай о Ваське, я один с ней не справлюсь, и вообще! Я не смогу без тебя!

У Златы зазвонил телефон.

— Алло!

— Злата Игоревна?

— Да, я.

— С вами говорят с телевидения. Программа «Над пропастью во лжи».

— Что вы хотите? — раздраженно бросила Злата.

— Мы очень хотели бы пригласить вас к нам на программу.

— Как вы сказали называется ваша программа? — едва не поперхнулась Злата.

— «Над пропастью во лжи», это еще новый проект.

— А с какой радости вы меня приглашаете? Что мне там делать, над вашей пропастью?

— Мы сначала приглашали вашего супруга, он категорически отказался. Но девушка беременна от него, она настаивает...

— Идите ко всем чертям и не звоните больше!

— Послушайте, а если на детекторе выяснится, что девушка вовсе и не беременна?

— А беременных нельзя проверять на детекторе, и вообще меня эта история уже не интересует ни с какого боку! Я все сказала!

И Злата в сердцах швырнула трубку.

— Обалдеть! — проговорила она.

— Златка, любимая, не бросай меня! Я без тебя не могу, ничего не могу...

— О да, без меня ты способен только трахнуть красивую девчонку, но сделать это без последствий тебе уже, видимо, не под силу. Поразительно! Короче, заварил кашу, расхлебывай ее сам. А я умываю руки, с меня хватит!

Денис как будто ее не слышал. Он смотрел в окно на заснеженный сад. Он просто не мог поверить в реальность происходящего.

— Да, лучше всего сейчас уехать... Завтра же... И ты от меня отдохнешь... Правильно, Златка, твои идеи всегда самые оптимальные, спасибо тебе!

— Нет, погоди, я хочу расставить все точки над i. Уезжай, уноси ноги, делай все, что заблагорассудится, меня это уже не интересует, но... Я от тебя ухожу, но пока останусь твоим агентом, потом подыщу себе замену.

— Златка, умоляю, перестань, мало ли что случается в семье! Ну прости ты меня бога ради!

— Нет, Денис, тут, как говорится, лиха беда начало. Один раз прощу, а там, глядишь, через годик опять какая-нибудь низкопробная красотка возникнет, ты не устоишь, а она потащит тебя на телевидение... Нет уж, сыта по горло! Я слишком тебя избаловала, но выслушай меня сейчас: до конца учебного года мы с Васькой будем жить тут, а к тому времени я подыщу другую школу и мы съедем отсюда.

— Нет, это невозможно, это все глупости! Ты не можешь бросить меня в такой момент!

— Могу, Денис, еще как могу!

— Но Васька моя сестра, и если ты уйдешь, она останется со мной!

Ах, как хотелось Злате крикнуть ему в лицо, что Васька вовсе ему не сестра, однако добивать его этим сообщением она не посчитала возможным, к тому же пришлось бы слишком много объяснять ему, а ситуация совершенно неподходящая. И она промолчала, сказала только:

— Уйди с глаз долой!

А ему в этой фразе почудилась надежда на прощение. Простит, никуда не денется, она же меня любит!

А Злата подумала: я должна, я просто обязана хотя бы ради Васьки вытащить его из этой грязной истории, чего бы мне это ни стоило! Вот вытащу, а потом уйду! Его быстренько подберут, но моя совесть будет чиста!

Денис опять ночевал у себя в кабинете. Ему было плохо, не физически, а морально. Он терпеть не мог чувствовать себя виноватым, отвратительное состояние! Ночь он почти не спал, но зато придумал, куда ему слинять из Москвы. Полечу на Канары, там круглый год тепло, можно купаться и вообще, это так далеко. К тому же на острове Тенерифе уже пять лет живет его старый приятель с семьей, будет с кем общаться. Да, удачная мысль — из морозно-слякотной Москвы, где его будут терзать разные средства массовой информации, рыдающая коза Динара, взбешенная Злата, а я, между прочим, для общего блага укроюсь на дивном острове. Буду писать, дышать океанским воздухом...

Он спустился вниз. Злата и Васька уже уехали в школу. На столе его как обычно дожидался завтрак. Ясно, Златка поразмыслила и решила меня простить. Она умная, поняла, что... Я, конечно, болван, но с кем не бывает, и повинную голову меч не сечет! Но тут же вспомнил о Мирзаяне. Как же быть? А, ладно, свяжусь с ним уже с Тенерифе, и мы как-то решим этот вопрос.

Злата вернулась и смерила его таким взглядом, что ему стало нехорошо.

— Послушай, ты когда уезжаешь? — спросила она ледяным тоном.

— Завтра.

— Далеко?

— О да! На Тенерифе.

— Вот и отлично! Только будь добр, не пиши в соцсетях о своих путевых впечатлениях. Не надо, чтобы тебя сразу нашли.

— За кого ты меня принимаешь! И вообще, я лечу на Канары через Германию, чтоб сбить со следа! — возмутился Денис.

— Это мудро! А принимаю я тебя за того, кто ты есть, — за блудливого болвана! — отчеканила Злата.

— Златка! — с натянутой улыбкой воскликнул Денис, пытаясь сделать вид, будто не обиделся. Нельзя сейчас усугублять, никак нельзя!

А Злата уже составляла план действий по спасению доброго имени писателя Кузнецова. Перво-наперво необходимо выяснить, когда собираются снимать программу и когда ее намерены пустить в эфир. Был большой соблазн позвонить Егору, но ей ужасно не хотелось посвящать его в эту пакостную историю. Можно, конечно, обратиться к Мигунову, но и его лучше не посвящать. Кто знает, как он поведет себя. Как же быть? Надо, вероятно, попытаться встретиться с этой Динарой и попробовать отговорить ее от затеи с телевидением. Дать ей денег... Если ей действительно нужен Денис, то она может и согласиться, но если ей нужна телевизионная популярность, то ничего у меня не выйдет, только дерьма нахлебаюсь. Впрочем, дерьма я нахлебаюсь в любом случае. А зачем, собственно, мне его спасать? Он сам для этого и пальцем пошевелить не собирается, как всегда, твердо рассчитывает на меня. Ну еще бы! Он, похоже, возомнил себя великим писателем земли русской... Дурачок! Да нет, просто дурак! И все же мы прожили с ним восемь лет, семь из них были можно даже сказать относительно счастливыми. В память об этих годах я все же должна попытаться...

Она поднялась в кабинет. Денис с отрешенным видом стоял у окна.

— Денис! — окликнула она его.

Он резко обернулся.

— Да?

— Будь добр, дай мне телефон этой твоей... Динары!

— Зачем это?

— Хочу попытаться замять эту пакостную историю.

— Боюсь, ничего не выйдет. Я уже пытался...

— И все же я попробую!

— Не стоит, Златка, я уеду, и все само собой заглохнет.

— Скажи, ты хоть понимаешь, что ей, собственно, нужно? Ты или телевидение?

Денис удивленно взглянул на жену.

— Полагаю, что я.

— Ну, если так, то все разрешимо!

Денис болезненно сморщился.

— Златка, родная, прости ты меня бога ради! Умоляю, не бросай меня! Я без тебя не смогу жить...

— Ты уже заказал билет?

— Да, я ведь уже, кажется, говорил.

— Вот и отлично! Но мне все же необходим телефон Динары!

— О господи! Да не вяжись ты с ней! — как-то брезгливо поморщился он.

— Ну, не хочешь говорить, я сама узнаю, вряд ли это военная тайна, — холодно пожала плечами Злата и стремительно вышла из комнаты.

На следующий день Денис уехал. Они больше ни о чем не говорили.

— Алло, я вас слушаю!

— Динара?

— Ну я, а вы кто?

— Я бывшая жена Дениса Кузнецова.

— Как бывшая?

— Вот так, уже бывшая! Послушайте меня, Динара! Если Денис вам нужен, берите его со всеми потрохами, мне не жалко! Только давайте обойдемся без телевидения.

— Как это?

— Очень просто. Вы сами должны решить, что для вас главное — мужчина или появление на телеэкране.

— Ну, я не знаю... Надо подумать... посоветоваться, — нерешительно проговорила девушка.

— Хорошо, думайте до завтра, а завтра в час дня встретимся и все обсудим.

— С вами?

— Да, со мной! Вы не в курсе, что я агент Дениса и остаюсь им, хотя он мне уже не муж?

— А он придет?

— Нет, он сегодня улетел очень далеко.

— Улетел? Зачем?

— Очень просто — чтобы в тишине и покое пересидеть шумиху вокруг его имени. И хочу еще предупредить вас: если вы все же решитесь пойти на телевидение, Денис на вас наверняка не женится.

— Ага, хитренькие какие, — взвизгнула девушка, — он слинял куда-то, а я тут как дура откажусь от телевидения, от такого шанса... Нет уж! И поверьте, никуда он все равно от меня не денется, сколько бы ни бегал. Ребеночка заделал, будешь отвечать по закону!

— Ну, дело ваше! Я вас предупредила.

От злости Злата даже прикусила губу! Надо же, с кем связался, интеллигент хренов!

В этот момент к ней заглянула Василиса.

— Привет! Можно к тебе?

— Заходи! А откуда ты взялась? Ведь еще рано.

— Меня Барыкины привезли, у нас физика отменилась. Златочка, что с тобой? У тебя какие-то неприятности? Это из-за того, что Денис уехал?

— Да нет, это так, рабочие моменты. Ох, Васька, знала бы ты, как я уже хочу в Австрию! Будем с тобой шляться по Вене, поездим по окрестностям, покатаемся на санках... Вообще-то сейчас не лучшее время для Вены, но что поделаешь... Да фигня это все, понравится нам Вена, летом туда махнем, не вопрос.

— Злата, признайся, что у тебя стряслось? Я же вижу... Может, я могу чем-то помочь? Только скажи!

— Да нет, все путем, не бери в голову.

— Выходит, ты уже знаешь?

— Знаю? Что? Что я знаю? — насторожилась Злата.

— Ну, про передачу...

— Какую передачу? Ты о чем?

— Мне сегодня Сенька Фогель сказал, что на канале, где его мама работает, собираются делать программу про Дениса, ну и про его... особу, которая... Он ведь из-за этого уехал? Скажи, ты знаешь?

— О господи! Это уже дети в школе обсуждают, — простонала Злата.

— Ты теперь от него уйдешь? Да?

— Не я, а мы.

— Кто — мы?

— Мы с тобой, Васька. Или ты хотела бы остаться с ним?

— Нет, ни за что! — закричала Василиса. — Я хочу только с тобой!

— Вот и хорошо! Но учти, до конца учебного года мы останемся здесь, а там видно будет.

— Мне все равно где, лишь бы с тобой, — рыдала Василиса, — ты мне самый родной человек, роднее не бывает!

— Не реви, Васька, ты мне тоже самый родной человек, самый близкий, — обнимая Ваську, плакала Злата.

— А Егор? — вдруг спросила Василиса.

— Что Егор? При чем здесь Егор?

— Он тебе разве не близкий?

— Ох нет, совсем не близкий...

— А ты не простишь Дениса? Говорят, жены часто прощают измену мужа.

— Ох, Васька, это все очень сложно. А ты хотела бы, чтоб я его простила? И мы по-прежнему жили втроем?

— Я? Нет, наверное. Хотя мы неплохо жили. Но я никогда уже не смогу ему доверять. Скажи, а ты знаешь, кто эта... его девушка?

— Знаю. Но это неважно. Понимаешь, Васька, я вдруг осознала, что просто больше не люблю Дениса, — с горечью прошептала Злата.

— Да... дела... Тебе от этого кисло, да, Златочка?

— Вот если бы тебя у меня не было, наверное было бы совсем хреново, а так... Понимаешь, мне страшно важно чувствовать себя кому-то нужной, а раз я нужна тебе, значит, не о чем горевать.

— А мне кажется, что сейчас больше всех ты нужна именно Денису, потому что... потому что он слабак!

— Вон как ты рассуждаешь, я бы сказала, не по-детски. Я как-то так не думала о нем, но недавно мне один человек сказал то же самое.

— Да, и, между прочим, наш с ним папаша тоже типичный слабак. Думаешь, я не понимаю, почему он слинял в Испанию? Из-за меня. Извини, но он мне не понравился. Совсем.

— Григорий Романович в принципе хороший человек...

— Так и Денис в общем-то хороший... в принципе, но оба они... я недавно видела в старом фильме... словом, оба они не орлы! Ты помнишь это кино?

Злата ахнула от изумления и бросилась обнимать Василису.

— Ах ты моя умница, действительно, они совсем не орлы!

И обе уже смеялись в голос.

Книга вторая

ОРЛЫ

В отсутствие Дениса Злата испытывала огромное облегчение. Вот съездим с Васькой на каникулы в Австрию, а там будет видно. И она с наслаждением принялась снаряжать Ваську для зимнего отдыха в горах. Странно, частенько думала Злата, моя жизнь рухнула, а я совсем не горюю, даже испытываю облегчение... Значит, я не любила мужа? Или я просто не знаю, что такое любовь, и представления о ней у меня больше литературные?

Однажды вечером, когда она разбирала шкаф в спальне, снизу вдруг раздался отчаянный вопль Василисы:

— Злата, Злата, скорее!

Она в панике бросилась вниз. Но Василиса, целая и невредимая, только смертельно бледная, сидела перед телевизором.

— Васька, что ты орешь?

— Иди сюда. Она все же приперлась в студию!

Шла недавно возникшая программа «Над пропастью во лжи». В кресле главной героини вечера сидела Динара, ослепительно красивая, и вещала каким-то замогильным голосом:

— Я пришла сюда, чтобы добиться справедливости. Мне это нелегко далось, я плохо себя чувствую, у меня сильнейший токсикоз, но я не могла иначе... И я хочу сказать всем девушкам — не верьте ни единому слову женатых мужиков! Я думала, он известный писатель, солидный человек, а он... Как узнал, что у нас ребеночек будет, сразу смотался на край света. А я... я осталась ни с чем... Я даже на детекторе не могу подтвердить свою правоту, беременным нельзя на детектор... И вообще...

И красавица разрыдалась. Эффектный мужчина лет пятидесяти, как выяснилось, профайлер, принялся задавать девушке вопросы, некоторые из них повергали ее в замешательство. И выглядела она при этом совсем неубедительно. Слово взяла дама-эксперт:

— А я хотела бы все-таки понять, чего вы добиваетесь, явившись сюда?

— Как чего добиваюсь! Справедливости! Пусть платит алименты хотя бы...

Профайлер сразу в нее вцепился.

— Вот вы сейчас сказали «пусть платит хотя бы»... Это означает, что ваши аппетиты значительно превышают то, что вы сейчас озвучили. На самом деле вы рассчитывали стать женой Кузнецова. Но он женат, вот ведь какая незадача!

— Но я же его люблю! — выкрикнула девушка.

— А он хоть раз говорил, что любит вас?

— Говорил! Говорил! Сколько раз говорил! А главное все твердил, что жену свою больше не любит, что он, конечно, в некоторой степени от нее зависит, что она со злости может запросто погубить его карьеру.

— Злата, я не могу! — простонала Василиса. — Давай выключим!

— Нет уж, я досмотрю.

— Но как он мог... с такой.

— Ах, боже мой, посмотри, какая она красивая...

...Егор вернулся в Москву из Екатеринбурга, где участвовал в судебном процессе. Он устал, был раздражен и решил первым делом заехать к матери. Он не видел ее больше недели и привычно беспокоился о ней. Но сначала заехал в супермаркет, купил картошки, овощей и фруктов, минеральной воды, словом все необходимое, чтобы маме не пришлось таскать тяжелые сумки, и лишь погрузив все покупки в машину, вспомнил, что мама теперь все заказывает в «Утконосе». Вот болван, с раздражением подумал он. Ладно, может, что-то она все же возьмет, а остальное отвезу домой. У меня в доме хоть шаром покати!

Мама встретила его радостно.

— Егорка, наконец-то! Я соскучилась! Ты голодный?

— Нет, только чаю хочу, я тут купил какое-то новое печенье...

— Ну, рассказывай! — потребовала мама за чаем. — Что там было в Свердловске?

— В Екатеринбурге, мама! Но это так неинтересно, — поморщился Егор.

— Ты хочешь сказать, что ничего интересного в твоей жизни не происходит?

— Пожалуй, именно так, ничего интересного.

— А что ты читал за последнее время?

— Исключительно неинтересные материалы судебного дела.

— Это неинтеллигентно, Егор! Твой отец, даже несмотря на чудовищную занятость, все же успевал читать.

— Ох, мама, время было другое, — тяжело вздохнул Егор.

— Скажи, а ты знаешь такого писателя — Дениса Кузнецова?

— А что с ним? — внезапно охрип Егор.

— Да черт знает что! — патетически воскликнула Мария Андреевна.

— То есть? — напрягся Егор. — И откуда ты его знаешь?

— Я его не знаю! Но я смотрю новую программу с таким, я бы сказала, претенциозно-литературным названием «Над пропастью во лжи».

— Мама дорогая!

— Так вот, на эту программу явилась девица, надо сказать дивной красоты, и заявила, что беременна от этого писателя...

Егор затаил дыхание.

— А сам писатель тоже там был? — как бы между прочим поинтересовался Егор.

— Нет, он вообще, похоже, куда-то сбежал. Струсил. К тому же он, оказывается, женат.

— А его жена была на программе?

— Нет, была только эта девица и еще ее подруга, которая рассказывала, какая там была любовь и все в таком роде.

— Ну и чем эта бодяга закончилась?

— Девица рассказывала, что жена писателя ей звонила и даже угрожала.

— Брешет! — воскликнул Егор.

— Да? А ты почем знаешь? — очень пристально глядя на сына, спросила Мария Андреевна. — Егор, ты покраснел! Так, немедленно говори, у тебя что, шашни с женой этого писателя?

— Мама, что ты несешь!

— Егор, не ври матери! Уже одно то, что ты стал меня расспрашивать об этой передаче, показалось мне крайне подозрительным, ты же знаешь, я всегда чувствую, когда ты мне врешь.

— Ох, мама...

— Егор, колись! Ты же знаешь, я теперь не отстану. Что у тебя с этой женщиной?

— К великому сожалению, ничего! Но она... Она чудо, мамочка!

— Красивая?

— Не знаю... но... удивительная, добрая, очень порядочная. Да нет, вру! У нее такое лицо... глаз не оторвать.

— Да ты влюблен, мой мальчик!

— Может быть... может быть...

— Так не будь же идиотом, действуй! Сейчас самый подходящий момент. Ей может быть нужна твоя помощь. Поверь своей маме, вовремя предложенная помощь очень ценна, очень! Да, а как она к тебе относится?

— Мне кажется как минимум благосклонно, — вдруг просиял Егор. — Мамочка, ты золото!

— Погоди, у нее есть дети?

— Нет, есть только младшая сестренка мужа и Злата в ней души не чает, но это долгая история! — в нетерпении воскликнул Егор.

— Звони ей немедленно! Если бедняжка видела эту программу, ей сейчас по-настоящему плохо!

И Мария Андреевна подтолкнула к Егору его телефон, лежавший на столе.

Он схватил телефон и вышел из кухни. Номер Златы был занят. Глухо занят! Он вернулся на кухню.

— Занято!

— Воображаю! Небось звонят злорадно-сочувствующие подружки. Бедная девочка! Да, а сколько ей лет?

— Тридцать четыре.

— На семь лет тебя моложе. У нас с твоим отцом была такая же разница. Скажи, а этот писатель, он красивый?

— О да! Высокий, стройный, темно-русый, голубоглазый... Тьфу!

— Ну, ты тоже не лыком шит, Егорка! Ты очень даже интересный мужчина.

— Спасибо, мамочка! — растрогался донельзя взволнованный Егор.

— А ты знаешь ее адрес?

— Она живет за городом. Ты считаешь, что мне следует сейчас махнуть к ней?

— Да нет, пожалуй, мало ли что там сейчас происходит. Знаешь, я бы хотела с ней познакомиться... Да, а как ты-то с ней познакомился?

— Ох, мама, это такая история...

— Рассказывай!

Егор рассказал.

— Какая прелесть! Как в кино! Значит, ты ей сразу глянулся!

— Ничего подобного! Она меня даже не узнала, когда мы встретились на студии.

Лицо Марии Андреевны приняло мечтательное выражение.

— Знаешь, это так женственно... так прелестно...

— Ты о чем?

— Ну, она же сказала, что ей не нравится этот зонтик, что он безвкусный... Я уверена, что она мне понравится! И еще я абсолютно уверена, что она не кладет в щи чеснок и кинзу.

— Мамочка, ты неподражаема! — восторженно воскликнул Егор.

И тут ему перезвонила Злата. Голос у нее был измученный.

— Егор, вы звонили? Что-то случилось?

— А разве нет? Вам нужна помощь, я чувствую!

— А чем тут можно помочь?

— Вы могли бы, к примеру, подать в суд... Хотя это только лишний шум... Ну, я не знаю, может, просто нужна моральная поддержка...

— Спасибо, конечно, Егор. Но я ей-богу не знаю...

— Послушайте, Злата, а давайте встретимся, поговорим, две головы всяко лучше...

— Что ж, давайте встретимся, — довольно вяло отозвалась Злата.

— Тогда завтра в одиннадцать в нашем кафе. Годится?

— Да. Спасибо. До завтра, Егор.

— Ну что? — спросила Мария Андреевна.

— У нее совершенно убитый голос.

— Надо думать! Мало того, что муж изменил, так еще об этом объявляют на всю страну, на ближнее и дальнее зарубежье. Сущий кошмар! Вот скажи мне, что за радость для этой девчонки объявлять на весь мир, что она залетела от чужого мужа? А кроме телевидения, есть ведь еще этот ваш Интернет... В моей престарелой голове это не укладывается.

— Ах, мама, ты просто слишком порядочный человек и брезгуешь всеми этими... погремушками. Хоть и смотришь подобные программы. И с Интернетом практически не знакома, только с «Утконосом». Это же все еще цветочки!

— И не желаю я с ним ближе знакомиться!

— Дело твое! Но я попытаюсь все же ответить на твой вопрос хотя бы вкратце. Завтра эта девица соберет в соцсетях кучу лайков, а поскольку она еще и красива, а мужик, якобы ее обрюхативший, известная личность, ее с восторгом начнут тягать и в другие программы на разных каналах, она на какое-то время обретет популярность. А, ладно, ты сама прекрасно это знаешь, — вдруг пришел в крайнее раздражение Егор. — Надо подумать, можно ли как-то замять эту мерзость, хотя я плохо себе представляю, каким образом. Тут нужны громадные деньги, скорее всего, какие-то космические суммы, которых у меня просто нет, чтобы заткнуть рот этой девке, а впрочем, уже поздно, да и кто может гарантировать, что она, взяв деньги, не вернется через какое-то время к этой истории...

— А ты здорово разволновался, мой мальчик! Это хорошо, наконец-то ты по-настоящему влюблен!

Злата была убита. Сейчас она буквально ненавидела Дениса. Вот так всегда! Он натворил глупостей, а я должна их расхлебывать! Он будет наслаждаться всеми прелестями Канарских островов, а я хлебать эту пакость большими ложками! И я ума не приложу, как сейчас надо действовать. И даже Егор, вроде бы опытный юрист, тоже не знает. И Васька в отчаянии, сидит с несчастным видом, глаза, правда, сухие. Бедная девочка! Сколько всего на нее обрушилось за этот год. Уму непостижимо, а есть ведь еще этот тест ДНК...

— Златочка, там кто-то приехал!

— К нам?

— Ну да!

— Не дай бог журналюги! Не пущу!

Раздался звонок по телефону.

— Алло!

— Злата, пожалуйста, откройте, это Мигунов.

— Сейчас! Я открою ворота, заезжайте!

— Спасибо!

— Зачем он приехал? — недоуменно спросила Василиса.

— Сейчас узнаем, — пожала плечами Злата и пошла открывать.

— Добрый вечер, Василий Евгеньевич!

— Нет, Злата, он совсем не добрый, этот вечер!

— Господи, неужто вы тоже видели эту прелесть?

— Мне рассказали.

— Ну, для фильма, который вы сейчас продюсируете, это неплохой пиар...

— Злата, не надо так! — болезненно скривился Мигунов. — Я попробую принять меры, чтобы эта грязь не растеклась по всему медийному пространству, но и вы должны мне в этом помочь!

— Но что я могу сделать?

— Исчезнуть вместе с Василисой. Просто чудо, что возле дома еще нет своры журналистов, но, поверьте, в ближайшие часы они появятся.

— Двадцать восьмого мы с Васей улетаем в Австрию на все каникулы.

— А сегодня только девятнадцатое. Значит так! Сейчас вы быстро собираете вещи, необходимые на первое время. В доме кроме вас обеих есть еще кто-то?

— Только кот и собака!

— А с кем они остаются, когда вы уезжаете?

— С домработницей.

— Отлично! Звоните ей, она наверняка уже в курсе дела, и скажите, что сейчас вместе с Васей куда-то уезжаете, только не в Австрию. Живо собирайтесь, Злата, нельзя терять время!

— Но куда мы сейчас поедем? — растерянно спросила Злата.

— Ко мне! Там вас никто искать не станет. У меня огромный дом. Высокая ограда. Побудете там до отъезда, журналисты потеряют ваш след, а дальше будет видно. Вася, что ты стоишь, как засватанная! Беги собирать вещи! И вы, Злата, тоже, поверьте, это наилучший выход!

— Но Васе завтра в школу!

— Подумаешь, большое дело! Обойдется пока школа без Васи, и Вася тоже без школы не пропадет, тем более что там наверняка будут обсуждать ее брата!

— Спасибо! Это здорово! — воскликнула Василиса и помчалась наверх.

— Василий Евгеньевич!

— Злата, все разговоры потом! Умоляю, не теряйте время! Оно сейчас на вес золота. Да поймите вы, я элементарно не хочу, чтобы моя дочь купалась в этой грязи!

— Господи помилуй! — простонала Злата и тоже побежала собирать вещи. Кажется, он прав, и если мы все сейчас исчезнем, история может заглохнуть. Да, решительный товарищ, этот Василий Евгеньевич!

Покидав в чемодан какие-то вещи, Злата позвонила Анне Захаровне. Та, услыхав ее голос, разрыдалась.

— Ох, Златочка, да что ж это такое делается! Не ожидала я от Дениса Григорьевича, такой хороший мужчина, и вот на тебе! А вы уезжать собрались? Не волнуйтесь, Златочка, обихожу я ваше зверье, и за домом пригляжу, не сомневайтесь, езжайте себе спокойно, бедняжечка вы моя!

— Спасибо, спасибо вам огромное, Анна Захаровна!

— Я завтра к семи утра подъеду. И знаете, я лучше пока поживу у вас!

— Ох, это было бы идеально! У меня нет слов!

Через полчаса Мигунов подхватил два объемистых чемодана и уложил их в багажник старенькой «тойоты».

— Садитесь, дамы! Кажется, мы успели до нашествия папарацци.

— А что за машина? — удивленно спросила Злата. Обычно Мигунов ездил на огромном джипе «мерседес».

— А это для маскировки, моя машина слишком приметная, — весело отозвался он. — Чтоб не засекли!

— Как в кино! — воскликнула Василиса, кажется, она была в восторге. Еще бы, такое приключение!

Перед постом охраны поселка Мигунов скомандовал:

— Пригнитесь, девочки! Акулы пера уже приплыли! Целая стая! Все, теперь можете расслабиться!

— А что там было? — полюбопытствовала Василиса.

— Стоял «уазик» с надписью «Пресса».

— Обалдеть! — восторженно простонала Василиса.

Какой же Васька еще ребенок, подумала Злата. Она вдруг ощутила каменную усталость. Закрыла глаза и мгновенно уснула. Но сквозь сон слышала оживленные голоса Василисы и Мигунова. Кажется, отец и дочь нашли общий язык!

Она не вслушивалась в их разговор. У нее просто ни на что не было сил. Но одно она понимала совершенно отчетливо: история с ДНК откроется в самое ближайшее время. Ну и пусть. Наверное, так всем будет лучше!

Она опять уснула.

— Злата, приехали! — донесся до нее голос Мигунова. — Просыпайтесь!

Дом продюсера и вправду оказался огромным и стоял на огромном участке. Снег кругом, красивые фонари. Никто их не встречал. Мигунов достал чемоданы из багажника.

— Вася, помоги Злате, она едва стоит на ногах!

— Да-да, конечно! Златочка, держись за меня!

В самом деле, она еле передвигала ноги.

— Тебе плохо? — испуганно спросила Василиса.

— Не знаю. Просто выдохлась...

Мигунов занес чемоданы в дом. И зажег везде свет.

— Как красиво! — ахнула Василиса.

— Девочки, вы голодные, наверное? Злата, сядьте! Да, и выключите обе телефоны.

— Зачем? — воскликнула Василиса. — Чтобы нас по ним не отследили?

— Именно! — кивнул Мигунов. — Если нужно кому-то позвонить, звоните с моего.

— Мне не нужно! — заявила Василиса. Ей было жутко интересно.

— Ох, а мне нужно отменить завтрашнюю встречу.

Мигунов с готовностью протянул ей свой телефон.

— Нет, — покачала головой Злата, — а у вас есть городской телефон?

— Чего нет, того нет. Но вы не беспокойтесь, номер этого телефона не определяется. И вообще, Злата, успокойтесь, здесь вы под надежной охраной.

— Да я не беспокоюсь! Ведь нашей жизни ничто не угрожает, разве что нервам. Извините! — Она встала и, чуть пошатываясь, вышла в другую комнату.

Мужику что ли будет звонить? — ревниво подумал Василий Евгеньевич.

— Алло, Егор?

— Злата, это вы? Откуда вы звоните? Что-то еще случилось? Я могу помочь? — забросал ее вопросами Егор.

Надо же, мелькнуло в голове у Златы, двое чужих мужчин рвутся помочь, а собственный муж просто с восторгом слинял на райский остров! Кенар он, а не орел! А эти... вроде оба орлы...

— Егор, ничего не случилось, просто я уехала, и завтрашняя встреча не состоится.

— Куда уехали?

— Неважно, об этом никто не должен знать!

— Между прочим, правильно! Самый лучший выход! Спасибо, что предупредили! Вы далеко?

— Очень!

— Ну что ж, еще раз спасибо, что предупредили. При первой возможности свяжитесь со мной. И выключите телефон.

— Уже!

— Ну что ж, удачи вам, Злата, но одно я все же должен сказать на прощание: я люблю вас, Злата!

И он отключился.

Его последние слова словно придали Злате сил, хоть и напугали ее. Она вернулась в комнату уже совсем другая.

Да, она явно говорила с мужиком... И он сказал ей что-то хорошее. Любовник? Не хочу! Даже думать об этом не желаю! Я хочу... жениться на ней и вместе воспитывать мою дочь! Девчонка просто прелесть, умненькая, с чувством юмора. Вся в меня! И хорошенькая...

— Ну вот что, девочки, пойдемте наверх, покажу вам ваши комнаты, располагайтесь, и через полчаса жду вас внизу к ужину!

— Ой, а можно нам со Златой в одну комнату? — взмолилась Василиса.

— Конечно, можно, что за вопрос, если, разумеется, Злата не возражает.

— Я не возражаю, — улыбнулась Злата. — Василий Евгеньевич, простите, а у вас не найдется какой-нибудь снотворной таблетки, боюсь, я не усну...

— Да! Есть! Превосходное французское снотворное. Будете спать как младенец.

— Как младенец в памперсах? — лукаво осведомилась Василиса, и в ответ на недоуменный взгляд Мигунова заметила: — Ну, я слышала, что раньше, когда памперсов еще не было, младенцы именно что всю ночь орали.

— Отлично, Вася! — рассмеялся Мигунов. — Я теперь всегда буду говорить — спит как младенец в памперсах!

— Спасибо вам за все, Василий Евгеньевич! Только я ужинать не буду, сразу лягу.

— Как угодно! Вася, а ты?

— А я буду!

— Вот и чудесно, поужинаем вместе! Приходи, буду ждать!

Он ушел, Васька помогла Злате принять душ, достала из чемодана ее вещи, развесила в шкафу.

— Тебе весело, Васька? — с улыбкой спросила Злата.

— Не то чтобы весело, но интересно! И он очень-очень клевый, правда?

— Правда, клевый...

— Знаешь, я хотела еще спросить... Хотя нет, это успеется, спи! У тебя такой измученный вид!

Васька укрыла ее одеялом, поцеловала.

— Я пойду, есть хочется...

— Иди, конечно!

— Спокойной ночи!

— Ага!

Французская таблетка подействовала, и Злата уснула, как младенец в памперсах.

А вот Егор никак не мог уснуть. На хрен ты признался ей в любви, дурак? Ей это совершенно не нужно. Но куда она могла уехать так скоро? И телефон сама догадалась выключить или кто-то надоумил? Хотя сейчас в кино постоянно кого-то находят по включенному телефону. Прячется у каких-то знакомых? Телефон, по которому она звонила, не определялся... Тоже ничего не значит. Но я что-то не слыхал от нее о каких-то близких подругах или друзьях. Улететь куда-то за кордон она просто не успела бы за это время... Все-таки надо было сразу ехать к ней, а я, кретин, назначил свидание на завтра, и вот, пожалуйста, ее уже кто-то умыкнул! Стоп. Кажется, я знаю... Неужто Мигунов? Тогда погано. Ох и сплоховал же я... Да, насколько я знаю его биографию, он вполне способен на подвиги во имя прекрасной дамы. Но он же старый, ему пятьдесят пять! Ну и что? Любви все возрасты покорны. Как мама говорила: вовремя предложенная помощь очень ценна... Ну, если это Мигунов... Ничего, мы еще поборемся, хватит выжидать момент, довыжидался! Пойду напролом! Он вполне мог спрятать ее в своем доме. Там такой забор... Не беда, надо будет, штурмом возьму! И что ж я, опытный следователь, не смогу найти женщину с ребенком? Любимую женщину с чужим ребенком. А ведь она именно женщина с ребенком, и если думать о женитьбе, надо отдать себе отчет в том, что Злата и Васька — это уже одно целое... Ну и что? А ведь это хорошо, даже очень хорошо! Васька чудесная девчонка! Мама хотела внуков? Будет ей уже готовая внучка, уверен, они поладят, у обеих прекрасное чувство юмора, вряд ли маме нужны грудные младенцы. Но это все лирика, а сейчас надо прежде всего найти их обеих.

Злата прекрасно проспала всю ночь и проснулась вполне бодрая. Не сразу, правда, сообразила, где это она, потом вспомнила. Прислушалась. Вроде бы все тихо. На часах без пяти девять. А где же Васька? А, наверное, заночевала в другой комнате, чтобы меня не тревожить. Вчера она явно хотела обсудить со мной столь бурные события, а я уснула...

Злата быстро приняла душ, оделась и пошла вниз. Откуда-то доносились голоса. Васька и Мигунов накрывали на стол в кухне. Злата замерла и прислушалась.

— Васечка, а ты любишь сыр с плесенью?

— Нет, папочка, терпеть не могу!

Так, уже папочка? Очень интересно!

— С добрым утром! — громко сказала Злата.

— Привет!

Оба повернулись к ней с такими сияющими лицами, что ей сразу стало легче.

— Проболтались, Василий Евгеньевич? Так-то вы умеете хранить тайны?

— Ваш упрек несправедлив, дорогая моя Злата! Вася сама догадалась. Она вчера за ужином вдруг подняла на меня глаза и спросила в лоб: «Что вас связывало с моей мамой?» Я от неожиданности начал что-то невнятное бормотать, а она напрямую спросила: «Вы мой отец?» Что ж я, должен был ей врать?

— Златочка, милая, но это же такое счастье! — закричала Василиса, кидаясь Злате на шею.

— Какое счастье? — опешила Злата.

— Ну, что у меня такой папа… а не тот гусь… Этот папа у меня орел! — захлебывалась восторгом Васька.

Мигунов был явно смущен.

— Злата, простите, но… Мы с Васей полночи проговорили… Я ей все рассказал. А что мне оставалось?

— Ну что ж… Только что теперь-то делать? Как сообщить об этом Григорию Романовичу?

— Я уже придумал! Я полечу к нему в Испанию и откровенно все расскажу. В конце концов, ни я, ни вы, ни Вася, его сознательно не обманывали, ну а за покойную Лену мы отвечать не можем. А вашему мужу, я надеюсь, сообщит об этом его отец. По-моему, это наилучший выход.

— Какой вы решительный.

Злата заметила, что Васька смотрит на Мигунова с немым обожанием.

— Ну да, я решительный. Бываю... Но чего бы я в жизни добился, будь я нерешительным? — смущенно улыбнулся Мигунов. — Ладно, девочки, все разговоры потом, а сейчас завтракать, после завтрака я уеду, вы останетесь здесь, я разведаю обстановку, и вечером доложу вам. А вы тут развлекайтесь, я Васе показал уже, как обращаться с домашним кинотеатром, у меня очень богатая фильмотека... Есть бассейн, словом, скучать не будете. И я оставлю вам свой телефон. Ну, если понадобится позвонить. Мало ли...

Он надавал еще массу инструкций и умчался.

— Вася, — начала Злата.

— Златочка, родненькая, только не ругай меня!

— Да я не собиралась.

— Скажи, какой он классный, а? Он мне так нравится! Я его, наверное, уже люблю... Такой папа... Знаешь, как мне всегда не хватало папы... А этот Кузнецов, он мне ужасно не понравился, я все думала, как мама могла с таким... А вот этот папа — совсем другое дело! Он же красивый и обаятельный... Знаешь, он мне рассказал, что, когда увидел меня в первый раз, сразу что-то почувствовал...

— Это правда, — кивнула Злата.

— Он говорит, это зов крови! Это так классно!

— Ну и что теперь будет, Васька? Ты останешься с ним?

У Васьки глаза налились слезами.

— Я не знаю, наверное, да, с ним... Но я без тебя тоже не смогу... Что же делать?

— Вот и я о том же... Но, наверное, тебе и впрямь с ним сейчас будет лучше. Смотри, какой у него дом. Он очень богатый человек, у него прочное положение. А я даже не знаю... Мне надо искать работу, у меня, конечно, есть крыша над головой, и работу я найду, не проблема, наверное...

— А знаешь что? Ты выходи замуж за папу, вот тогда все будет просто супер! Представляешь, как мы заживем!

— Васька, дурочка моя...

— Почему это я дурочка? Если хочешь знать, мне папа сказал, что ты самая лучшая женщина из всех, кого он знает!

— Это все очень мило, конечно, но так не бывает, Васька!

— Почему? Все бывает! Знаешь, когда он... то есть папа, первый раз тогда к нам приехал, я сразу его узнала, вспомнила ту фотку, которую видела у мамы... И я тогда еще ее спросила — а не мой ли это папа? А она... Злата, почему? Зачем она наврала?

— Я могу только догадываться.

— О чем? О чем ты догадываешься?

— Вероятно, твоя мама очень любила Василия Евгеньевича, но у нее осталась на него горькая обида. И когда он спросил, не его ли ты дочь... Она, очевидно, просто побоялась, что он как-то нехорошо на это отреагирует, что заставит ее разочароваться в нем... И еще... Он, похоже, не любил ее, а Григорий Романович, наоборот, любил... Ну, что-то в этом роде!

Василиса задумалась.

— Но ведь это нечестно!

— Да, нечестно, но знаешь, женская обида штука серьезная, она иной раз толкает еще и не на такие поступки.

— На месть? Да?

— Да, а месть вещь бессмысленная, на самом деле...

— Значит, ты не будешь мстить Денису?

— Ох, нет, зачем? — поморщилась Злата. — Я вовсе не желаю ему зла.

— И ты не станешь губить его карьеру?

— Я — нет! Но вот его девушка запросто может. Она глупа как пробка и как раз хочет отомстить, и куда ее это заведет...

В этот момент в дверь позвонили.

Злата и Васька испуганно переглянулись. Звонок повторился.

— Может, спросить, кто? — прошептала Васька.

— Нет. Сидим тихо!

Васька подошла к окну.

— Ни фига не видно, такой забор... Я наверх!

И она взлетела на второй этаж. Осторожно глянула в окно. И увидела, как от дома отъезжает машина. Ни марки, ни номера она заметить не успела.

— Ну, мало ли кто это мог быть, — пожала плечами Злата в ответ на Васькино сообщение. — А ты не заметила, какого цвета машина?

— Вроде синяя. Но это точно не Егора машина.

— Да откуда тут взяться Егору!

— А ты бы хотела, чтобы он тут взялся?

— Нет, зачем?

— Злата, ты мне что-то не нравишься! Какая-то ты пришибленная!

— А меня и впрямь все это пришибло.

— Но ведь то, что у меня нашелся отец... И притом такой клевый... Ты не рада?

— Не знаю... Ох, мне что-то плохо...

И Злата вдруг сползла с дивана на пол и потеряла сознание.

Сказать, что Васька перепугалась, это ничего не сказать! Ей вдруг померещилось, что Злата умерла. Она принялась трясти ее. Бесполезно! И тут взгляд ее упал на телефон, оставленный Мигуновым. Она хотела звонить в «скорую», но сообразила, что не знает адреса. Тогда она позвонила отцу.

— Васенька, что?

— Папа, папочка, Злата, кажется, умерла!

— Как умерла? — опешил Мигунов.

— Мы разговаривали, и вдруг она упала с дивана и не дышит... — рыдала девочка.

— Погоди, детка. Сделай вот что: ты умеешь щупать пульс?

— Не знаю!

— Возьми ее руку и пощупай пульс. Ну что?

— Вроде бьется... Только слабо...

— Значит, жива. Я скоро приеду с врачом. А как она очнется, дай ей глоток коньяку.

— А где его взять? В холодильнике?

— Нет. Видишь — справа от камина стоит такой сундучок, черный, на колесиках? Открой крышку и найди бутылку с надписью «Хеннеси». Нашла? Молодец.

— Ой, папа, она открыла глаза!

— Отлично! Дай ей полрюмочки... Я выезжаю!

— Златочка, миленькая, что с тобой?

— Постой, Вася, что ты мне суешь?

— Это коньяк, папа велел дать тебе полрюмки.

— Постой, помоги мне лучше встать... Кажется, все прошло...

— Пожалуйста, выпей! Папа сказал...

— Ну, если папа сказал, — слабо улыбнулась Злата. — Очень напугалась, бедная?

— Я думала, ты умерла!

— Да нет, я еще поживу... Умереть не умерла, только время провела! И зря ты Василия Евгеньевича побеспокоила.

— Ничего не зря! А кому мне было звонить?

— Да ладно, все хорошо, что хорошо кончается. Можешь сварить мне чашку кофе?

— Запросто! — обрадовалась Василиса.

Егор не находил себе места. Где ее искать? Отложив все дела и призвав на помощь весь прошлый опыт следователя, он решил, что надо танцевать от печки. А где у нас печка? В том поселке, где жила Злата с мужем! И он поехал туда. Поговорил с охраной, попросил показать ему запись с камер видеонаблюдения.

— Не положено!

— Погляди! — Егор достал из кармана свое старое удостоверение, вложив в него стодолларовую купюру.

— Ладно, смотри, не жалко, — пожал плечами немолодой охранник.

Егору нужна была только запись за тот вечер, когда исчезла Злата. Он увидел «уазик» с надписью «Пресса» на въезде в поселок и почти одновременно выезжавшую из поселка «тойоту». «Тойота» несколько мгновений стояла перед шлагбаумом. Егор постарался увеличить изображение. «Тойота» стояла рядом с фонарем, и он отчетливо увидел лицо водителя. Ага! Есть! Это Мигунов. Значит, это он увез Злату, причем на чужой машине. Машину Мигунова Егор отлично знал. Ишь, киношник проклятый! Сцена из сериала! А девочки просто пригнулись, чтобы их не засекла пресса.

— Спасибо, мужики, очень выручили!

— Удачи тебе, командир!

Егор отъехал на небольшое расстояние и затормозил. Значит, они у него. Что ж, неглупо! Там их искать вряд ли станут. Но, если я туда поеду, меня попросту не пустят на порог. Значит... Значит, я завтра с утра заявлюсь к нему в офис, а сейчас позвоню и запишусь на прием. Он большой начальник, этот окаянный Мигунов... Интересно, она сама к нему обратилась? Но почему не ко мне? Обидно, черт возьми! А если он сам не терял время в рефлексиях, а просто рванул к ней и увез? По собственной инициативе? Ах я болван! Нет, я сию минуту поеду к дому Мигунова, и будь что будет! Но одному действовать глупо, мало ли что... В таких делах нельзя терять голову. И он позвонил своему товарищу, бывшему оперативнику, а ныне начинающему прокурору. Тот оказался дома.

— Борька, привет!

— Здорово, Егорий! Что стряслось?

— Нужна помощь!

— Надеюсь, в рамках правового поля? — хмыкнул Борис, хорошо зная авантюрный склад характера старого товарища.

— Да как сказать, нужно похитить невесту!

— Это у тебя шутки такие идиотские?

— Ну, в некотором роде. Короче, в правоохранительные органы никто обращаться с гарантией не будет!

— Егор, я ничего не понимаю, объясни толком!

— Может, встретимся и все обсудим?

— Прямо сейчас?

— Ну, хорошо бы...

— А невесту похищать когда намереваешься?

— Да я пошутил... Мне бы только выяснить, где она находится.

— А невеста чья?

— Моя!

— Вона как! Я так смекаю, ее уже кто-то похитил, а ты хочешь забрать? А она-то хочет, чтобы ее забрали, а?

— Слишком много вопросов, господин прокурор! — рявкнул взбешенный Егор и отключился. Думал, Борис перезвонит, но тот не перезвонил.

— Ну и хрен с тобой! — проворчал Егор. И, забыв все благие намерения, решил сейчас же ехать к дому Мигунова и любыми средствами проникнуть внутрь.

Он мчался на большой скорости, и вдруг у него пробило колесо, и он чудом справился с управлением.

Выйдя из машины, он долго и смачно матерился. Колесо порвало буквально в клочья, а запаски у него не было. Придется вызывать техпомощь, ничего не попишешь! Он вызвал. Сколько ее прождешь, одному богу известно. Он чувствовал себя отвратительно! А с другой стороны... Может, мне нужна была эта вынужденная пауза, передышка... Мимо проехал огромный фургон, откуда доносилось лошадиное ржание.

Лошадей что ли везут? Надо надеяться, не на бойню? И тут в свете фар фургона он увидел указатель: «Конезавод». Слава богу, не на бойню! — возликовал Егор и вдруг успокоился. Он почувствовал — теперь все будет хорошо!

Злата еще спала под воздействием волшебной французской таблетки, а Васька торчала на кухне вместе с Василием Евгеньевичем, они вдвоем готовили завтрак. Васька стояла у плиты, аккуратно помешивая кашу в кастрюльке, а Мигунов взбивал в миске яйца для омлета.

Лица обоих светились радостью.

— Папа, а у тебя, что, нет прислуги?

— Вообще-то есть, но я всех отпустил, когда решил привезти вас сюда. Во избежание утечки информации, так сказать. У меня есть женщина, которая ведет хозяйство, а ее муж следит за садом. А больше мне просто не нужно. Я в принципе все сам умею.

— Знаешь, мне почему-то с тобой так легко, — задумчиво проговорила Василиса. — Только я совсем не знаю, что будет дальше.

Василий Евгеньевич поставил миску на стол.

— Ты о чем, детка?

— Ну, о жизни... о нашей жизни...

— О нашей с тобой? Так ты будешь жить со мной! Я на днях полечу в Испанию, объяснюсь с Кузнецовым, у меня на руках документы... тест... Это, вероятно, долгая процедура, но в результате я тебя официально признаю своей дочерью... Как-то так.

— А Злата?

— Что Злата?

— Что будет с ней?

— Ты ее очень любишь, Васька, да?

— Да. Очень! Очень люблю!

— Ну, Злата же взрослый самостоятельный человек, она сама решит... Хотя я был бы счастлив... А скажи, Вася, у нее кто-то есть? — он понизил голос. — Ну, какой-то... друг... мужчина?

— Я не знаю!

— А она... любила мужа?

— Недавно она мне сказала, что... кажется, больше не любит его. А ты... ты бы не хотел на ней жениться? Вот тогда бы это был... такой кайф! Ой, папа, мы же должны лететь в Австрию, но мне уже совсем не хочется, не хочется уезжать от тебя...

И Василиса вдруг горько разрыдалась.

— Господи, Васенька, детка моя, почему ты плачешь? — перепугался Мигунов.

— Потому что я ничего не понимаю...

— Успокойся, моя маленькая, все как-то устроится, образуется... Я был бы абсолютно счастлив, если бы Злата... согласилась стать моей женой... Но я не уверен, что она... Не уверен! Ну, успокойся, мы все решим! А сейчас беги, буди Злату, будем завтракать!

Но тут Злата как раз спустилась к ним.

— Я выспалась! Спасибо, Василий Евгеньевич! А теперь смертельно хочу кофе. Васька, ты плакала? Что случилось?

— Это были слезы радости! — выпалила Василиса.

— Да-да, именно так! — подтвердил Мигунов. — Злата, овсянку будете? Вася сама варила!

— Сама? Надо же! Обязательно буду!

— Отлично! Знаете, Злата, мы с Васей говорили, она не хочет ехать в Австрию...

— Почему, Вася? Ты же хотела!

— Понимаешь, я хочу с папой... Ой, ты только не думай...

— Да я все прекрасно понимаю! И ни капельки не обижаюсь... Все правильно, Вася! Я поеду одна. Мне о многом надо подумать, многое прикинуть, многое осмыслить. Ты у меня умница, Васька!

— И ты правда не обидишься?

— Нет, ни капельки! Я даже благодарна тебе за эту идею. Мне она в голову не приходила.

— Папа, а ты-то не против?

— Я? Боже упаси, я только рад! У меня такая дочка! Мне так интересно с ней разговаривать... Знаете, Злата, это удивительно умный и правильный ребенок! И она так напоминает мне мою младшую сестренку в детстве, просто одно лицо, и такая же умница. Я очень ее любил, очень...

— Любили? А что с ней? — спросила Злата.

— Она умерла в двадцать шесть лет, от внематочной беременности.

— А что такое внематочная беременность?

— Ох, пусть лучше тебе Злата объяснит, это не совсем моя тема...

— Ну, это успеется, — улыбнулась Злата.

— Злата, я понимаю, вам хочется побыть в одиночестве, что довольно естественно, только вот на модном курорте вряд ли это у вас получится.

— Да нет, я же нетусовочный человек, мало с кем знакома... Сначала я поброжу по Вене, съезжу в Зальцбург.

— Ой, папа, это же ведь каникулы будут, а ты не мог бы с нами поехать?

— Нет, солнышко, у меня куча дел, и потом я-то личность достаточно приметная. А Злата хочет побыть одна...

— А как же я? Ты будешь работать...

— Кстати! Васька, не капризничай, и поехали со мной, как и собирались! — воскликнула Злата.

— Но ты же хотела одна...

— А теперь хочу с тобой! Одной мне будет грустно!

— Думаешь?

— Да! А Василий Евгеньевич пока тоже все обдумает, все случилось так внезапно, мы же собирались сказать тебе все ох как нескоро, а вышло...

— Злата, вы чрезвычайно умны и сообразительны, а я что-то растерялся под напором отцовских чувств... Скажите, вам непременно хочется в Вену?

— А что?

— Я боюсь, что журналюги уже прознали про ваши планы и могут отловить и в аэропорту, и в Австрии, для бешеных собак даже тысячи верст не крюк! А я предлагаю вам поехать... У меня под Питером в Сиверском есть маленький уютный домик, я иногда там скрываюсь на несколько дней, когда совсем невмоготу. Я могу хоть послезавтра отвезти вас туда на машине, оставлю ее вам, это будет удобно! Вася, ты была в Питере?

— Нет, никогда!

— Домик небольшой, но очень уютный, будете ездить куда захотите. Кстати, там недалеко Гатчина, тоже прелестный городок. Там вас никто искать не станет, а весной, обещаю, вы поедете в Австрию, да куда захотите! Соглашайтесь, девочки! А я пока постараюсь организовать все так, чтобы Васе не нужно было, по крайней мере до конца учебного года, ходить в школу. Дети народ жестокий, а нынешние дети, по-моему, особенно! А к следующему году никто уж и не вспомнит об этом скандале.

— А как это — не ходить в школу? — заинтересовалась Васька.

— Будешь заниматься дома, я найду тебе преподавателя по точным наукам, ты же у меня гуманитарной направленности девочка...

— Супер! — вскинула руку Василиса. — Круто! Правда, Златочка?

— Ну, в сложившейся ситуации, пожалуй, это наиболее разумно...

— Я сделаю вам доверенность на машину. Итак, выезжаем послезавтра раненько утром.

— Ух ты, здорово! — возликовала Василиса.

Она смотрела на отца с обожанием! А Злате такой вариант понравился. Ей почему-то впервые в жизни было боязно садиться в самолет. Нервы ни к черту. Да, так лучше, чем одной ковырять свои болячки!

Поехать утром к Мигунову не получилось! Егору позвонила соседка его матери и сказала, что Марии Андреевне стало плохо, пришлось вызвать «скорую». У нее был приступ стенокардии, предлагали госпитализацию, но она, конечно же, категорически отказалась. И Егор помчался к матери. Та выглядела неважно, однако хорохорилась как могла.

— Оставьте меня в покое и загляните в мой паспорт. Со старыми тетками случаются всякие приступы, но в больнице мне всегда только хуже!

Егор знал, что спорить тут бесполезно.

— А что это у тебя вид такой заполошный, Егорка?

— Да ничего особенного, мама! Просто замотался.

— А что слышно насчет этой девушки?

— Какой девушки?

— Не притворяйся, что не понял! Злата! Помнишь такую? Что с ней?

— Она исчезла, мама! Мы договорились встретиться, но она позвонила и отменила встречу. Дома ее нет, и где она, неизвестно.

— Тоже мне, следователь! — фыркнула Мария Андреевна.

— Мама, я давно уже не следователь! И, кстати, ты очень радовалась, когда я решил податься в адвокатуру! Или ты не помнишь?

— У меня пока нет маразма!

— Да, у тебя всего лишь стенокардия, поэтому лежи тихо и не думай ни о каких девушках! О них следует думать мне!

— Как у вас это называется? Отлуп по полной программе, кажется?

На другой день Егор с утра заехал к матери, убедился, что ей стало лучше, проверил, все ли лекарства у нее есть. И лишь после этого поехал в офис к Мигунову.

— Я записан на одиннадцать тридцать!

— Господин Чарушин?

— Да.

— Присаживайтесь! Василий Евгеньевич сейчас будет!

Егор скрипнул зубами.

В приемную стремительно вошел Мигунов.

— Вы ко мне?

— К вам!

— Проходите!

Мигунов снял пальто, аккуратно повесил его в шкаф.

— Присаживайтесь, молодой человек! Вы по какому вопросу?

Он явно не узнал Егора.

— По личному.

— По личному? — крайне удивился Мигунов.

— Василий Евгеньевич, вы знаете, где сейчас Злата?

— Злата? — вздрогнул Мигунов.

— Да, Злата.

— Какая Злата? — не придумал ничего умнее Василий Евгеньевич.

— Злата Остужева!

— Остужева? — искренне удивился Мигунов. — Я такую не знаю!

— Хорошо. А Злату Кузнецову знаете?

— Кузнецову? Да, знаю!

— И где она? Это ведь вы увезли ее из дома, не отпирайтесь, я видел запись с видеокамер, вы там ясно видны за рулем какой-то «тойоты», тогда как всем известно, что вы обычно ездите на джипе «мерседес»! Я предполагаю, что она с Василисой скрывается у вас от журналистов.

— Так... Это что, допрос? А по какому праву вообще вы врываетесь в мой кабинет и учиняете мне допрос?

Егор вскочил, шагнул к столу Мигунова, встал прямо напротив него, опершись обеими руками о стол, и сказал, глядя ему в глаза:

— Знаете, по какому праву? По праву любви! Я вполне допускаю, что в глазах женщин вы, вероятно, довольно лакомый кусок, но не для нее!

— Так! Очень интересно! А для нее вы, значит, лакомый кусок — так прикажете вас понимать?

— Понимайте как хотите! Но я должен поговорить с ней!

— Так в чем дело? Позвоните ей!

— Ее телефон вне доступа!

— А при чем здесь я?

— Я точно знаю, вас с ней что-то связывает...

— Это не ваше дело! А вот что вас-то с ней связывает?!

— Многое. Я люблю ее! И никому не отдам!

— Молодой человек, вам не кажется, что это крайне глупо — являться к незнакомому человеку и вопить о своей любви?

— Да, вы правы... Это крайне глупо... Извините меня.

— Так и быть, извиняю!

— Скажите хотя бы, с ней все в порядке? — взмолился Егор.

— Да. В полном порядке.

— И на том спасибо! Всего доброго!

И Егор пошел к дверям.

— Эй, молодой человек! — окликнул его Мигунов.

Егор обернулся.

— Это вы от любви к ней так сдурели?

— Представьте себе!

— А я вас даже понимаю...

— Да? А вы что, тоже одурели от любви к ней?

— Может быть... Может быть...

Егору вдруг стало весело.

— Ну что ж, поборемся за нее? Ваше преимущество в деньгах, мое — в возрасте!

— А вы наглец, молодой человек! — беззлобно усмехнулся Мигунов.

— Ага, она тоже говорила, что я наглец! Да, я наглец, и это дает мне лишний шанс!

— Послушайте, кто вы по профессии? — вдруг спросил Мигунов.

— Юрист! В данный момент адвокат.

— Как жаль!

— Почему жаль? — поразился Егор.

— У вас необыкновенно интересное лицо! С таким лицом надо сниматься в кино! Я вам это как опытный продюсер говорю!

— Ну, вы тоже, можно сказать, довольно красивый мужик, хоть и здорово потрепанный. Впрочем, бабы таких любят!

Мигунов расхохотался.

— Наверняка вы хороший адвокат! За словом в карман не лезете!

— У вас репутация честного человека, Василий Евгеньевич...

— И что?

— Прошу вас, скажите Злате, что я приходил к вам. Просто скажите. Всего доброго!

— Хотите сказать, что не писали этот разговор?

— Хочу! Я намерен во что бы то ни стало завоевать Злату, но честным путем! Да, и запомните: даже если она под давлением обстоятельств вдруг склонится в вашу сторону...

— Тогда что?

— Тогда... тогда у вас не будет ни одного спокойного дня, и я все равно уведу ее у вас!

И с этими словами Егор выбежал из кабинета.

Как ни странно, но Егор Мигунову даже понравился. Ему уж лет сорок, а он сохранил поистине юношескую горячность. Он, несомненно, любит Злату... А она? Как-то не верится... Она вела бы себя иначе. Она, конечно, убита всей этой историей, не столько изменой мужа, сколько отвратительным скандалом вокруг этой измены. Надо откровенно поговорить с нею. Предложить сразу руку и сердце... Сердце с двумя стентами... Ну и что? Люди могут долго жить с ними... И я еще вполне мужчина... И есть еще одно неоспоримое преимущество в ее глазах — Васька! Она искренне любит мою Ваську... Об этом преимуществе этот наглец не знает. Ах, как хочется утереть ему нос!

Но тут явился новый посетитель с сугубо деловыми вопросами. Пришлось на время забыть о визите наглеца.

Васька практически ни о чем не могла говорить и думать, кроме новоявленного отца!

— Злата, скажи, как ты считаешь... он... орел?

— Кто? Какой орел? — не поняла Злата, погруженная в свои невеселые мысли.

— Папа! Папа орел?

— Пожалуй, да, орел! — улыбнулась Злата. — Вон как лихо он нас похитил!

— Это было круто!

— Согласна!

— А как по-твоему Денис отнесется к тому, что он мне не брат?

— Думаю, расстроится. А впрочем, кто его знает...

— А ты его не простишь?

— Да простила бы, если бы любила... Но в любом случае я к нему не вернусь.

— А вот скажи, как, по-твоему, Егор...

— При чем тут Егор?

— А он — орел?

— Может, у него есть орлиные задатки, но...

— Поняла, он вскормленный в неволе орел молодой, да?

Злата принялась хохотать.

— Ой, Васька, ты меня уморишь с этими орлами и неорлами!

Тут возвратился Мигунов. Он был в хорошем расположении духа.

— Ну что, девочки, завтра едем в Сиверский?

— Едем! — решительно заявила Васька. — Я смотрела в Интернете, там очень красиво! И в Питер я ужасно хочу! Папочка, а ты останешься с нами до Нового года?

— Увы, нет! Дела требуют моего присутствия в Москве, но на Новый год постараюсь вырваться!

Когда Василису отправили спать, поскольку собирались выехать совсем рано, затемно, Василий Евгеньевич сказал:

— Злата, мне нужно с вами серьезно поговорить.

— Что-то еще случилось, Василий Евгенье-вич? — Она подняла на него совершенно изму-ченные глаза.

У него сжалось сердце.

— Да нет, пожалуй, просто в сложившейся ситуации...

— Хорошо, давайте поговорим.

— Я начну, быть может, с бестактного вопроса.

— Меня уже трудно удивить или задеть.

— Злата, вы еще любите мужа?

— Нет, — твердо и сразу ответила она.

— Понятно. А у вас... есть кто-то? Другой мужчина?

— Да, пожалуй, нет, — неуверенно ответила она. — А почему вы спросили?

— Потому что я... Я хочу предложить вам... руку и сердце, я люблю вас, Злата!

— О господи!

— Злата, я понимаю... Вы еще не любите меня, но любовь — это такая штука... Не всег-да браки по страстной взаимной любви долго-вечны, вы и сами это знаете. И потом, Васили-са... Она была бы счастлива... Поймите, Злата, согласившись на мое предложение, вы осчастливите сразу двоих... Меня и Ваську. Я устрою вам райскую жизнь, обещаю.

Она молчала, глядя в пол.

— Я знаю, вы как минимум хорошо ко мне относитесь.

— Факт.

— И я вам не противен?

— Нет.

— Тогда... почему вы молчите?

— Василий Евгеньевич, поймите меня, бога ради! Я сейчас не могу принимать такие кардинальные решения... И потом... Я же ничего, собственно, о вас не знаю. Слышала, что у вас внушительный донжуанский список...

— Помилуйте! Это все в прошлом... И потом, поверьте, когда к тебе приходят смертельно красивые девушки и предлагают себя... Плоть бывает слаба... И кому же в те годы могло прийти в голову, что это может считаться невесть каким преступлением, практически не имеющим срока давности... В моем случае это были издержки профессии, — смущенно улыбнулся Мигунов. — Вы сказали, что ничего обо мне не знаете... Извольте, я расскажу, если вам это интересно, разумеется.

— Интересно, — кивнула Злата.

Ох, какая она! Другая бы уже бросилась в мои объятия... Или я уже слишком стар?

— Ну что ж... Я родился в Воронеже. Мой отец был журналистом, а мама играла в драматическом театре. Растила меня в основном бабушка, мамина мама. Родителям было не до меня. Обычное дело! Но я вовсе не жалуюсь... Я люблю свое детство, я подолгу пропадал в театре, мечтал стать актером, хотя мама была категорически против. После школы подался в Москву, тогда уже начались перестроечные веяния, проучился три года в ГИТИСе, а потом решил смотаться за рубеж. В Германию. Но выдержал там два года и вернулся, хотя многому успел научиться, меня взял в помощники один наш крупный режиссер, тоже осевший в Германии, и это была удача. Я многое понял, усвоил, извлек уроки... И когда вернулся в Москву, начал снимать клипы. Но быстренько сообразил, что есть много молодых ребят, которые делают это лучше, чем я, но мало смыслят в деловой стороне этого бизнеса. И я стал продюсером. Вот тут я почувствовал себя в своей стихии...

— Вы были женаты?

— Дважды! Но детей нет. Обе жены ни за что не хотели. А я был увлечен своим бизнесом.

Первую жену я сам оставил, она изменяла мне направо и налево. А вторая бросила меня из-за моей постоянной занятости. А может, там кто-то тоже вклинился, но она уехала в Америку. И больше я ничего о ней не знаю. И я решил, что одному мне лучше. Я выстроил себе этот дом, нашел супружескую пару, которая этот дом ведет... Но теперь... Я вдруг представил себе, что хозяйкой здесь будете вы... И, опять же, Василиса... Знаете, удивительное дело, как мгновенно мы с ней стали отцом и дочерью. Как будто всю жизнь знали друг о друге... Я уже люблю ее, в полной мере ощущаю своей кровиночкой! И она тоже... Кому сказать, не поверят... Вот, Злата, вкратце моя история.

— Знаете, Василий Евгеньевич... Вы мне очень симпатичны, приятны, но я просто не в состоянии сейчас ответить вам, я в полной растерянности, я не знаю... Дайте мне время! — взмолилась Злата. — Мне нужно прийти в себя.

— Разумеется, я не стану вас торопить! Думайте, приходите в себя... Я счастлив уже тем, что вы не отказали мне категорически. Это обнадеживает! Ну что ж, спокойной ночи, дорогая моя. Утром выезжаем!

Поднявшись к себе, Василий Евгеньевич принялся неистово колотить висящую в комнате боксерскую грушу. Идиот, старый маразматик! Так привык, что бабы сами ко мне лезут... А она... Да разве болтать надо было? Нет, надо было просто подойти, обнять покрепче, поцеловать... Может, она сразу согласилась бы... Я ведь умею так обнять... А я? Стыд и срам! Нет, так нельзя... Она же доверилась мне, а я воспользовался бы ее беспомощностью? Невозможно! Неприемлемо!

А Злата не чувствовала ничего, кроме усталости.

Егор ощущал себя полным идиотом! Чего я добился этим демаршем? Только насторожил соперника. Он может начать активные действия Необходимо что-то придумать...

И вдруг в голову ему пришла одна мысль... Если мне это удастся, я, быть может, добьюсь своего...

Рано утром, еще затемно, Мигунов с дочерью и Златой выехали из дому.

— Василий Евгеньевич, часа через два я вас сменю за рулем! — заявила Злата.

— Там видно будет! — ласково улыбнулся он.

— Папа, а какой там у тебя дом?

— Хороший, уютный, деревянный... Очень скромный. Два этажа, три комнаты и кухня. Все удобства в доме.

— А ты вчера сказал, что оставишь нам машину.

— Разумеется, оставлю!

— А вернешься на самолете?

— Нет, это не имеет смысла. На поезде. В Москве от аэропорта дольше добираться, чем лететь.

— А сколько там езды до Петербурга?

— Часа полтора.

— Ой, до чего же интересно!

Домик в Сиверском ничем не напоминал роскошный подмосковный.

— Ой, прямо сказочный теремок! — захлопала в ладоши Василиса. — Тут так уютно! А можно будет во дворе поставить елку?

— Конечно, можно. Хоть во дворе, хоть в доме, или там и там, как захотите, девочки! Вот, располагайтесь! А завтра утречком отвезете меня в Питер на вокзал, и дальше вы свободны как ветер!

Василий Евгеньевич вытащил из багажника их чемоданы и огромную картонную коробку.

— Что это? — удивилась Злата.

— Это продукты на первое время. Тут в десяти минутах езды есть неплохой магазинчик, можно заказать по Интернету. Но нам ведь надо чем-то питаться сегодня вечером и завтра утром...

— Ой, папа, ты думаешь, мы втроем сожрем такую коробищу? — хохотала Василиса. Она чувствовала себя сейчас совершенно счастливой рядом с этими двумя самыми любимыми людьми.

За роскошным ужином она вдруг сказала:

— Знаете, я теперь понимаю, что такое любовь с первого взгляда!

— Боже мой, Васька, не пугай меня! В кого это ты влюбилась с первого взгляда?

— В тебя, папа!

— Деточка моя! — расплылся в счастливой улыбке Мигунов. — И я... Я тоже... с первого взгляда.

— Златочка, ты не обижайся, тебя я полюбила со второго.

Злата весело рассмеялась. Здесь, в этом небольшом и на диво уютном доме она чувствовала себя хорошо и спокойно. И была за это бесконечно благодарна Василию Евгеньевичу.

...На вокзале Василиса повисла на шее у отца.

— Папочка, поклянись, что приедешь к нам на Новый год! Злата обещала испечь рулет с курагой, изюмом и орехами, это офигительно вкусно!

— В самом деле, Василий Евгеньевич, приезжайте!

— Я постараюсь, девочки мои!

Они стояли на перроне, пока поезд не тронулся. Василиса тяжело вздохнула.

— Ну что, барышня, какие будут пожелания? — спросила Злата.

— А какие будут предложения? — лукаво осведомилась Васька.

— Перво-наперво надо куда-то пристроить машину.

— Парковку найти?

— Ну да! Здесь это тоже проблема.

Они сели в машину, Злата тронула с места, Василиса углубилась в телефон.

— А вот тут неподалеку можно поставить...

Избавившись от машины, Злата заявила:

— А теперь я смертельно хочу кофе! И какой-нибудь десерт! А ты?

— И я! Значит, начнем с кафе?

— А ты против?

— Я — за!

Васька обожала кофе, но Злата не позволяла ей пить больше одной чашки раз в три дня.

— А ты будешь пить чай!

— Нет, тогда я буду какао!

— Это ради бога! Или даже лучше шоколад.

Когда они уже сидели в кафе, Васька вдруг спросила:

— Златочка, миленькая, тебе сейчас хорошо, да?

— А что, заметно?

— Да! Невооруженным глазом! А почему? Тебе тяжело с папой?

— Нет, нисколько. Я и сама не знаю... Может, просто тут меня никто не станет дергать...

— Но тут же можно встретить каких-то знакомых.

— Можно, конечно, но вовсе не обязательно!

— Значит, будем надеяться?

— Вот именно, будем надеяться. Ну вот что, сегодня мы ни в какие музеи соваться не будем, будем просто гулять по городу, благо, не очень холодно, а то тут иной раз с Невы так дует!

И они пошли вверх по Невскому. Васька только глаза таращила, изредка восклицая:

— Ох, красотища!

Потом они свернули на канал Грибоедова и пошли к храму Спаса на Крови.

— Златочка, смотри, ресторан грузинской кухни! Это вкусно? Я никогда не пробовала!

— Это очень вкусно, если хорошо приготовлено! А что, ты уже проголодалась?

— Нет, просто мы же будем где-то обедать… Давай сюда придем?

— Не вопрос, придем! — засмеялась Злата.

Они еще долго бродили по дивному городу, потом вернулись на канал Грибоедова.

— Ну, что ты хочешь? — поинтересовалась Злата.

— Но я же не понимаю ничего… А ты что будешь?

— Суп харчо! А потом чахохбили!

— А что это такое?

— Харчо — это очень вкусный мясной суп, его положено варить из говядины, но иногда делают из баранины, но вкусно и то и другое. А чахохбили — это кусочки курицы в довольно остром соусе.

— А можно мне тоже такой суп, а потом хачапури, по крайней мере, это я знаю...

— Да все можно, Васька! Гуляем!

Когда им принесли харчо, Злата попробовала и подозвала официантку.

— Девушка, харчо должно быть с пылу с жару, а это давно остыло... Будьте так любезны подогреть! Холодное харчо — это абсурд!

— Придется подождать!

— Значит, подождем. Или же просто уйдем, накатав жалобу и не заплатив!

Девушка подхватила тарелки и ушла, весьма недовольная.

— Злата, ты чего? Ну не такой уж суп был холодный!

— Васька, я не желаю есть остывшее харчо! И глаза ее вдруг наполнились слезами.

— Златочка, ты чего, — перепугалась Васька. — Это ты из-за супа?

— Да нет, извини, просто нервы гуляют... Я что, очень по-хамски говорила с этой официанткой?

— Ничего подобного! Ты говорила с ней... строго и требовательно. Как и положено в таком случае. Суп всегда надо подавать горячим. Его же легко остудить, правда? Взболтнул три раза ложкой и все дела!

— Васька, умница моя!

— Ох, как тут рано темнеет! — поразилась Васька, когда они вышли из ресторана. — Может, домой двинем?

— Домой так домой!

Эту ночь Злата впервые за долгое время спала без всяких таблеток. Просто легла и уснула.

Василий Евгеньевич на два дня полетел в Испанию, где встретился с профессором Кузнецовым. Разговор дался ему нелегко. Профессор показался ему истеричным, желчным и каким-то отчасти даже жалким. Впрочем, кому будет приятно узнать, что женщина, которую он, видимо, все-таки любил, обманула его? Его можно понять. К тому же для него явилось полным сюрпризом, что его сын и невестка расстались, и расстались в столь щекотливой ситуации.

— Очень прискорбно, вряд ли парень найдет жену лучше Златы... Дурак, одно слово! Моя жена до самой смерти ни о чем не подозревала. Ее счастье! И мое тоже... Знаете, господин Мигунов, а я даже рад... Мне тяжело было с Василисой... И совесть мучила. А теперь... свобода! Спасибо вам!

На том они и расстались. Кузнецов легко согласился подписать все необходимые документы.

Слава богу, думал Мигунов на обратном пути. Скоро моя дочь станет моей дочерью и по документам. И сменит фамилию, хватит ей быть Кузнецовой, теперь будет Мигуновой! Вот если бы еще Злата согласилась стать Мигуновой...

А в Москве его буквально рвали на части, ведь он столько времени потратил на улаживание семейных дел, хотя пока что из всей семьи у него несомненно была только дочь Васька.

А вот Егор с утра до ночи занимался чужими семейными делами, как, впрочем, и полагается адвокату. И результаты были обнадеживающими... О-хо-хо!

И вдруг ему позвонил Денис Кузнецов.

— Егор Александрович? С вами говорит Денис Кузнецов, писатель, знаете такого?

— Разумеется, знаю, мы с вами встречались на переговорах по поводу покупки прав на ваш роман.

— Простите, не помню... Там было достаточно много людей... Еще раз прошу меня простить!

— Да господь с вами, Денис Григорьевич! Чем могу служить?

— Простите, Егор Александрович, что задаю поистине идиотский вопрос...

— Слушаю вас!

— Вы не в курсе, где моя жена?

— Увы, Денис Григорьевич, я этого не знаю. Я сам хотел бы знать.

— То есть?

— Ну, госпожа Остужева, ваш литературный агент, и, кажется, весьма успешный, меня просили найти ее координаты...

— И вы ее не нашли?

— Нашел... в какой-то момент. Но она заявила, что уезжает, а когда вернется, попросит меня заняться ее разводом.

— Разводом? — ахнул Кузнецов. — А вам не кажется, что меня следовало бы поставить в известность в первую очередь! — закричал он.

— Видите ли, Денис Григорьевич, вы, вероятно, не в курсе, что некая Динара Алатаева на телевидении на всю страну заявила, что беременна от вас, что вы обещали на ней жениться, что ваша жена ей звонила с угрозами!

— Какой кошмар!

— Да, и по следу вашей супруги кинулась свора журналистов... Ей удалось каким-то образом от них скрыться.

— Иными словами, вам известно, где она скрывается?

— Я могу лишь строить догадки. Да, Денис Григорьевич, кто вам дал мой телефон?

— Рубен Мирзаян, знаете такого?

— Разумеется!

— Он сказал, что вы можете знать... где Злата.

— С чего он взял?

— Говорит, что слышал какие-то сплетни...

— Какие сплетни?

— Ну, будто бы вас неоднократно видели с женщиной в идиотской бело-зеленой шубе...

— Как интересно!

— Так вы дадите мне ее координаты?

— Нет! Не дам! — вдруг страшно разозлился Егор. — Теперь все переговоры только через меня! Я ее адвокат!

— И хахаль заодно? — ядовито осведомился Денис.

— Да! Но не хахаль, а жених! Как только она получит развод, я женюсь на ней!

— А вы наглец!

— Может быть!

— Вы наглец и лгун! Я слишком хорошо знаю свою жену, она органически не способна на тайные измены. Если бы у вас что-то было, она бы мне прямо сказала!

— Может, и сказала бы, если бы вы так спешно не утекли за тридевять земель, бросив женщину в столь трудный момент!

— Она сама на этом настаивала!

— А вы и рады! Вот и продолжайте радоваться, но Златы вам не видать, как своих ушей!

— Перед моим отъездом Злата сказала, что уйдет от меня, но останется моим агентом!

— Это ее выбор, но я бы ей не советовал, вы...

— А вы попробуйте сунуться к ней со своими дурацкими советами! Не на ту напали! — уже вне себя закричал Денис.

— А я не буду советовать, я буду требовать! Всех благ, господин Кузнецов!

Егор в сердцах чуть не разбил телефон. Черт знает что! Я совсем слетел с катушек из-за этой женщины! Я вел себя не как профессиональный адвокат, а как влюбленный и ревнивый мальчишка! К тому же не джентльмен! Разве можно было говорить, что я ее хахаль, когда я даже еще не целовался с ней! А Мигунов? Интересно, а Мигунов уже целовался с ней? Помню, одна артистка в подпитии говорила, что лучше Мигунова никто вообще не целуется... У Егора потемнело в глазах от ревности. Но он взял себя в руки. Ничего, я приготовил для нее такой подарок... Она не сможет не оценить его... Ох, Злата, и зачем ты тогда сунула мне в руки свой зонтик? Я же пропадаю без тебя... Ничего, еще два дня — и мой подарок будет полностью готов. А где ты, любовь моя, я уже знаю! В поселке Сиверский под Питером! Как-никак я бывший следователь, и далеко не из последних!

Двадцать девятого декабря поздно вечером Егору вдруг позвонил Мигунов.

— Егор Александрович, простите за поздний звонок!

Голос Мигунова звучал необычно, показался Егору каким-то слабым.

— Ничего страшного! Слушаю вас, Василий Евгеньевич!

— Вы не могли бы приехать ко мне завтра утром, пораньше?

— Мог бы! Что-то случилось?

— Да, случилось, и мне нужна ваша помощь!

— Сделаю все, что в моих силах!

— Не сомневаюсь, вы с этим справитесь!

— Хорошо, когда и куда приехать?

— Ко мне домой, как можно раньше! К примеру, часиков в семь утра, это возможно?

— Хорошо, буду.

— Спасибо вам!

Егор терялся в догадках. Что могло случиться? Если он заболел, то вряд ли был бы дома... Хотя... Может, ногу подвернул... А я при чем?

Ладно, решил Егор, утро вечера мудренее!

Ровно в семь утра он позвонил у калитки. Ему открыли. На крыльце его встретила полная женщина, видимо, домработница.

— Здравствуйте! Вы Егор Александрович?

— Он самый!

— Идемте, провожу вас!

— А что с Василием Евгеньевичем? Он заболел?

— Заболел! Но в больницу ехать отказался наотрез! Упрямый как черт! Но, думаю, дело не очень серьезно… Вот когда его инфаркт прихватил, он сразу согласился в больницу ехать.

Она постучала в дверь.

— Василь Евгеньич! Приехали к вам!

— Да-да, заходите, Егор Александрович!

Мигунов лежал на большом диване, в халате, был довольно бледен, но приветливо улыбнулся раннему визитеру.

— Заходите, садитесь! Тонечка, через полчасика подай нам сюда завтрак!

— Сделаю!

— Что с вами, Василий Евгеньевич?

— Ничего страшного, был небольшой сердечный приступ. Полежу несколько деньков и оклемаюсь. Но у меня к вам просьба. И вообще, очень серьезный разговор… Я хотел бы, чтобы вы, как юрист, занялись одним достаточно деликатным делом. Для начала ознакомьтесь вот с этим документом.

И он протянул Егору конверт. Тот достал из конверта бумагу, пробежал ее глазами.

— То есть как? Ничего не понимаю!

— Но там же все ясно сказано!

— То есть вы отец Василисы? Но как это возможно?

— В этой жизни, молодой человек, как выясняется, возможно все!

— И это не подделка?

— Боже сохрани!

— А Василиса и Злата... Они знают?

— Злата давно знает, а Василиса сама догадалась. У ее матери была моя фотография.

— И что?

— У нас с Василисой любовь, она сама сказала, любовь с первого взгляда!

— Как говорит моя мама, господи, твоя святая воля! А профессор Кузнецов в курсе?

— Да, я летал к нему в Бильбао. Он обрадовался! И подписал все документы, и готов подписать все, что еще может понадобиться. Он неприятный человек...

— Ага, теперь я, кажется, смекаю, что вы делали вместе с Златой в том медицинском центре... Я вас там видел.

— Верно! И я хотел бы, чтобы вы занялись всей этой историей. Ну, с признанием моего отцовства. Вы согласны?

— Да, согласен! — твердо ответил Егор.

— Отлично! Но это еще не все!

— Я весь внимание!

— Егор, девочки сейчас находятся...

— В поселке Сиверский под Питером.

— Откуда вы знаете?

— Я в прошлом следователь, — улыбнулся Егор.

— Я уже говорил вам, что у вас интересное лицо. Прямо для кино, за такую улыбку героини любых сериалов прозакладывали бы душу...

— Спасибо, конечно.

— Погодите, Егор, это еще не все...

Егор кивнул.

— Вы любите Злату?

Егор молчал.

— В прошлый раз...

— Я от своих слов не отказываюсь, Василий Евгеньевич! И, как я понял, вы тоже ее любите...

— Ну да, конечно, и вы еще несли какую-то ахинею о том, у кого какие преимущества... В глазах этой женщины мои преимущества мало чего стоят. Так вот... Когда вчера у меня прихватило сердце, я вдруг понял... Не пара я ей! Я вовсе не хочу сказать, что я безнадежный инвалид и не мужчина... Нет, отнюдь! И если бы я понимал, что она любит меня... Но этого, увы, нет! Я не знаю, любит ли она вас, но у вас куда больше шансов. Попытайте счастья, я вас благословляю на это, более того, прошу вас, если это хоть как-то возможно, поезжайте к ней! Я обещал приехать на Новый год, но у меня сейчас просто нет сил! Думаю, она будет рада... Да, и еще... Пообещайте мне, если со мной что-то случится, вы не оставите Ваську! Я сделал на нее завещание, назначил Злату опекуном на случай моей смерти, но все-таки вы мужчина, и к тому же юрист... И, я уверен, честный человек...

— Да бог с вами, Василий Евгеньевич! Со стентами люди живут годами, и даже детей заводят...

— Ну, там будет видно! — засмеялся Мигунов.

Тут Тонечка принесла им завтрак.

— Так вы сможете поехать к ним на Новый год?

— Смогу! Хотя придется огорчить маму... Впрочем, в такой ситуации она, наоборот, обрадуется, — засмеялся Егор.

— Я попрошу еще передать девочкам подарки, я купил в Испании.

— У меня тоже есть подарок для Златы!

— И какой, простите мне мое любопытство?

— Собственно, их два! Первый — результат генетической экспертизы...

— Господи, какой?

— Денис Кузнецов не является отцом ребенка этой красивой дряни! Узнав результаты, она согласилась прекратить этот безобразный скандал, у нее хватило мозгов понять, в каком невыгодном свете она явится телемиру. Я взял с нее расписку, что больше она никогда об этой истории не упомянет.

— Вы серьезно?

— Абсолютно!

— Да вы просто гений, Егор Александрович. Вот это подарок так подарок! А второй?

— Я заявил ее мужу, что буду сам заниматься разводом!

— А вдруг она передумает?

— Не передумает, я уверен!

— А вы наглец! — засмеялся Мигунов. Он поверил, что Злата теперь в надежных руках!

Эпилог

Утром тридцать первого декабря Егор спустился к машине, день был на удивление теплый, не по-зимнему тихий и безветренный. Егор с удовольствием думал о долгой поездке за рулем, он любил такие перегоны. Включу музыку и поеду не особенно торопясь, к вечеру всяко успею. Дальше он в своих мыслях не заглядывал. Было страшновато... А еще было жалко Ваську, она ведь наверняка мечтала, чтоб новоявленный отец женился на обожаемой Злате. Ничего, будем дружить домами! Кстати, надо бы купить Ваське какой-то хороший подарок... Но что это может быть? Он уже сел за руль и хотел включить зажигание, как вдруг на лобовое стекло сел... попугай, размером с голубя, желто-красный! Егор выскочил, схватил попугая, а тот больно клюнул его в руку. Но Егор не выпустил птицу, а вернулся в машину.

— Ты чего клюешься? Больно же! Откуда ты взялся? В окно удрал? И что мне теперь с тобой делать, скажи на милость? Стоп! Я знаю! Ты поедешь со мной в Питер, к Василисе! Ты же такой красавец, просто загляденье! Может, еще и говорящий? Ладно, посмотрим, но для начала купим тебе клетку! Поехали!

Зоомагазин находился на соседней улице. Егор купил красивую клетку, корм, мисочки.

— Только газированную воду птице не давайте! — напутствовал его продавец.

— Я и сам ее не пью! — буркнул Егор.

Он поставил клетку на сиденье рядом с собой и закрепил так, чтобы ее не очень качало.

А ведь это к счастью, сообразил вдруг Егор. Чтобы именно на мою машину посреди зимы сел такой красивый, желтый с красным попугай. Это несомненно к счастью!

— Вот что, птица счастья, это здорово, что ты ко мне прилетел. Есть с кем поговорить по дороге, хоть ты, может, и не говорящий... Но красавец! Знаешь, я понимаю, будет ох как непросто, очень уж все запуталось и переплелось... Но все-таки мы все — и я, и Злата, и Мигунов с Васькой — в принципе нормальные люди, и все у нас должно получиться... Тут, знаешь ли, на любви все замешано. Будем дружить семьями!

Попугай молчал.

Егор тоже умолк, задумался. И вдруг попугай произнес:

— Будем дружить семьями! Будем дружить семьями!

Егор счастливо засмеялся.

— Спасибо за поддержку, попка, ты совсем не дурак!

Литературно-художественное издание
әдеби-көркем басылым

Екатерина Николаевна Вильмонт

СВОИ ПОГРЕМУШКИ

Редакционно-издательская группа
«Жанровая литература»

Зав. группой М.С. Сергеева
Ответственный редактор Н.П. Ткачева
Корректор Е.Н. Ходасевич
Компьютерная верстка С. Клещёв

Подписано в печать 03.06.19 г. Формат 84×108 $^1/_{32}$. Усл. печ. л. 16,8.
Печать офсетная. Бумага офсетная. Гарнитура Академия.
С.: Романы Екатерины Вильмонт Тираж 25000 экз. Заказ №5617.
С.: Бестселлеры Екатерины Вильмонт Тираж 45000 экз. Заказ №5619.

Общероссийский классификатор продукции
ОК-034-2014 (КПЕС 2008): 58.11.1 — книги, брошюры печатные

Произведено в Российской Федерации
Изготовлено в 2019 г.

ООО «Издательство АСТ»
129085, Российская Федерация, г. Москва, Звездный бульвар,
д. 21, стр. 1, комн. 705, пом. I, этаж 7
Наш электронный адрес: www.ast.ru
www.facebook.com/Janry.AST/

«Баспа Аста» деген ООО
129085, г. Мәскеу, Жұлдызды гүлзар, д. 21, 1 құрылым, 705 бөлме, пом. 1, 7-қабат
Біздің электрондық мекенжайымыз: www.ast.ru
E-mail: zhanry@ast.ru
Интернет-магазин: www.book24.kz Интернет-дүкен: www.book24.kz
Импортер в Республику Казахстан и Представитель по приему претензий
в Республике Казахстан — ТОО РДЦ Алматы, г. Алматы.
Қазақстан Республикасына импорттаушы және Қазақстан Республикасында наразылықтарды
қабылдау бойынша өкіл — «РДЦ-Алматы» ЖШС, Алматы
қ., Домбровский көш., 3«а», Б литер I офис 1. Тел.: 8(727) 2 51 59 90,91,
факс: 8 (727) 251 59 92 ішкі 107; E-mail: RDC-Almaty@eksmo.kz , www.book24.kz Тауар белгісі
«АСТ» Өндірілген жылы: 2019
Өнімнің жарамдылық; мерзімі шектелмеген.

Отпечатано с готовых файлов заказчика
в АО «Первая Образцовая типография»,
филиал «УЛЬЯНОВСКИЙ ДОМ ПЕЧАТИ»
432980, Россия, г. Ульяновск, ул. Гончарова, 14